dtv

Neun Ausschnitte aus neuen Studien:

– Nathan Irvin Huggins rekapituliert die Doppelnatur des Sklaven: einerseits war er ein kauf- und verkaufbares Besitztum, andererseits doch eine Art Mensch...
– Eugene Genovese weist nach, dass auf manchen Farmen des Südens begabte Sklavenkinder Unterricht im Lesen und Schreiben erhielten, und dass dadurch, kaum beabsichtigt, eine Veränderung in Gang kam...
– Vincent Harding zeigt, dass Schwarze die ihnen nach dem Bürgerkrieg vom Staat zugesprochenen Rechte von der Gesellschaft nicht geschenkt bekamen, sondern sich ertrotzen mussten...
– Grace Elizabeth Hale entdeckt den Mechanismus, wie durch fadenscheinige Zeitungsberichte massenhaft Menschen zu Lynchmord-Spektakeln gelockt wurden...
– Angela Y. Davis untersucht, wie in der ersten Hälfte des 20. Jahrhunderts die bürgerrechtlich (noch kaum wirtschaftlich) neuen Verhältnisse der Schwarzen ihren künstlerischen Ausdruck im Blues fanden...
– Albert J. Raboteau stellt dar, welche Spannungen es zwischen schwarzen und weißen Christen gab und wie die Gemeinschaften schwarzer Juden und schwarzer Muslime aufkamen...
– William L. Van Deburg berichtet von den schwarzen Sportlern, die, statt bloß Medaillenbesorger zu sein, etwas für die Gleichberechtigung bewirken wollten...
– Robin D. G. Kelley ermittelt, wie der Afro-Look, ursprünglich eine Demonstration schwarzen Stolzes, von der Mode-Industrie vereinnahmt wurde – vielleicht nicht ganz und gar...
– Tricia Rose geht der Geschichte der Rap-Musik nach; die, noch so sehr vergröbert und kommerzialisiert, doch etwas mit den afrikanischen Wurzeln zu tun hat...

Ein Buch der Information, der Beschämung und der Hoffnung, kurz: der Aufklärung.

BLACK AMERICA

Neue Texte zur Geschichte der Afro-Amerikaner

ausgewählt und übersetzt von Sophie Bade

Deutscher Taschenbuch Verlag

dtv zweisprachig · Edition Langewiesche-Brandt
herausgegeben von Kristof Wachinger

Deutsche Erstausgabe
1. Auflage Dezember 2003
Deutscher Taschenbuch Verlag GmbH & Co. KG, München
Copyright-Nachweise Seite 179 f.
Umschlagkonzept: Balk & Brumshagen
Umschlagbild:
Thomas Waterman Wood: A Southern Cornfield, Tennessee (1861)
Satz: W Design, Coesfeld
Druck und Bindung: Kösel, Kempten
Gedruckt auf säurefreiem, chlorfrei gebleichtem Papier
ISBN 3-423-09402-8. Printed in Germany

Nathan Irvin Huggins: Master and Slave

To the African mind, unfreedom was no outlandish condition. Freedom was not much thought about in the Old World. One always belonged to a place and a people, having ties and obligations going far beyond the will of a single person to change. Imagining a state of freedom – meaning to be unfettered by wills, judgments, and determinations not one's own – would have been a frightening vision, like being a plant with roots in the earth too shallow to hold fast, like being free to move in the wind but having no place and no way to draw sustenance.

American slavery, however, required a radical transformation of personal meaning. In the New World, one asked, "What is a person worth? What is his value?" That would have been a strange question to Africans before the slave trade. To them, a person was, he belonged, he had meaning – be he powerful or weak, quick or slow. But they would have been at a loss to discover a quantitative value to stand for a man or woman. That is not to claim that the African held individual human life in higher esteem than did Europeans. There was human sacrifice, of course, and the close margins of life and death served to inure them to personal loss. It was, merely, that the estimate of human quality would not have been calculated in money, goods, or as capital assets.

But, in essence, that was what American slavery was all about. It began in the African slave markets, and Afro-American generations

Nathan Irvin Huggins: Herr und Sklave

Unfreiheit war für das afrikanische Lebensgefühl kein befremdlicher Zustand. In der Alten Welt dachte man nicht viel über Freiheit nach. Man gehörte immer zu einem Ort und zu einem Volk, man hatte Bindungen und Verpflichtungen, die weit über den Willen eines Einzelnen, der etwas ändern wollte, hinausgingen. Sich den Zustand der Freiheit vorzustellen – in dem Sinne, dass man nicht vom Willen anderer, von Beurteilungen und Überzeugungen, die nicht die eigenen waren, eingeschränkt würde –, wäre eine beängstigende Vorstellung gewesen, wie wenn man eine Pflanze wäre, die in so flacher Erde wurzelte, dass sie keinen Halt fand, wie wenn man frei wäre, sich im Wind zu bewegen, aber ohne festen Platz und ohne Möglichkeit, sich Nahrung zu verschaffen.

Die amerikanische Sklaverei verlangte allerdings einen grundsätzlichen Wandel der Bedeutung eines Individuums. In der Neuen Welt fragte man: «Was ist eine Person wert? Was ist ihr Preis?» Vor dem Sklavenhandel wäre das für Afrikaner eine sonderbare Frage gewesen. In ihrer Welt war eine Person einfach da, sie ließ sich einordnen, sie hatte Bedeutung – sei sie nun mächtig oder schwach, langsam oder schnell. Aber es wäre den Afrikanern unmöglich gewesen, den quantitativen Wert eines Mannes oder einer Frau festzustellen. Es soll hier nicht behauptet werden, dass die Afrikaner das einzelne menschliche Leben höher schätzten als die Europäer. Es gab Menschenopfer, gewiss, und das nahe Beieinander von Tod und Leben diente dazu, die Menschen gegen persönlichen Verlust abzuhärten. Es war einfach so, dass menschliche Qualität nicht als Geld-, Waren- oder Anlagewert ausgedrückt wurde.

Aber genau darum drehte sich alles bei der amerikanischen Sklaverei. Es begann auf den Sklavenmärkten in Afrika, aber auch die folgenden afro-amerikanischen Generatio-

to come would know the market to be the social test of their value. To be felt and inspected, talked of as a thing, transferred from place to place, bought and sold – that was the common pulse of the slave experience through two and one half centuries of Afro-American history.

Even those few fortunate enough never to hear the auctioneer chant their qualities would know the slave market as the basic symbol of their condition. Boys of a certain age went for so much, able-bodied, mature men for another amount. Acquired skills added to the price; marks from the lash took value away. Strong-bodied women who could fell trees and plow commanded one price; frail or sickly ones brought less. A comely young woman in the flush of youth might send prices beyond reasonable bounds. Did a woman have children? Would she have more? There was money in that. Did a man have the marks from smallpox? That was value to the discerning eye.

To be chattel property meant one could be traded and transferred as any other object of value. A master who wanted to set his children up on their own normally did so with a gift from among his own slaves, often breaking black kinship ties as a result. In fact, in the antebellum United States, which lacked a national monetary system, where state and private bank notes were insecure and lost value at a distance from place of issue, slaves were a convenient way to move wealth from one state to another.

One was a thing to be bought and sold, traded for money, land, or other objects. One was a

nen kannten den Markt als den Prüfstein ihres Wertes für die Gesellschaft. Dass man betastet und untersucht wurde, dass von einem wie von einer Sache gesprochen wurde, dass man von Ort zu Ort verfrachtet, ver- und gekauft wurde, das war in zweieinhalb Jahrhunderten afro-amerikanischer Geschichte die immerzu wiederholte Sklavenerfahrung.

Selbst diejenigen, die das Glück hatten, niemals den Auktionator ihre Qualitäten ausrufen zu hören, kannten den Sklavenmarkt als grundlegendes Symbol ihres Lebens. Jungen eines gewissen Alters gingen für diesen, gesunde erwachsene Männer für jenen Betrag weg. Erlernte Fähigkeiten erhöhten den Preis; Narben von Peitschenhieben reduzierten ihn. Kräftige Frauen, die pflügen und Bäume fällen konnten, erzielten einen guten Preis; zierliche und kränkelnde brachten weniger. Eine wohlgestalte junge Frau in der Blüte ihrer Jugend konnte den Preis über alle vernünftigen Grenzen steigern. Hatte eine Frau Kinder? Würde sie noch mehr bekommen? Das brachte Geld. Hatte ein Mann Pockennarben? Das war ein Wert für den kritischen Beobachter [er war nunmehr immun].

Bewegliches Eigentum zu sein hieß, dass man wie jedes andere Wertobjekt gehandelt und übereignet werden konnte. Ein Herr, der seinen Nachkommen einen eigenen Haushalt gründen wollte, tat dies normalerweise, indem er sie mit Sklaven aus dem eigenen Bestand beschenkte, wobei oft schwarze Familienverbände auseinandergerissen wurden. Da die Vereinigten Staaten vor dem Sezessionskrieg noch kein nationales Geldsystem hatten und staatliche wie private Banknoten unsicher waren und mit dem räumlichen Abstand vom Ausgabeort an Wert verloren, bot es sich tatsächlich an, Vermögen in Form von Sklaven von einem Staat in einen anderen zu bringen.

Man war eine Sache, die ver- und gekauft, die gegen Geld, Land oder andere Gegenstände gehandelt wurde.

living animal – like a horse, a cow, a pig – so that one's seed was part of the bargain. To Euro-Americans, the slave was like livestock but with a crucial difference: the slave was a responsible creature. He was no mere trained animal able only to respond to signals. He was a thinking, moral being; he was assumed to know right from wrong. Unlike a horse or cow or pig, he could do evil and assume the weight of his behavior. The society that enslaved him understood this difference, holding him strictly to the law for his misdeeds. A pig in the corn was not a thief; a slave in the smokehouse was. A horse that trampled the life from a cruel master was no murderer; a slave who struck out against brutality was. While the slave was a thing to be traded in the market, all depended upon his being human as well.

The slave had a human intelligence; that was an element of his price in the market. The Africans had brought techniques for growing crops, raising livestock, building dwellings, preparing food, weaving baskets, working metals, carving boats, netting fish, and trapping animals. Some of this lore would abide for generations after Africa had become a vague and dreamlike past. As they had retained old work skills, they would learn new ones. They continued to grow rice, indigo, watermelons, and cotton, but they learned to handle crops, like sugar and corn, that were new both to them and the Europeans. Workers familiar with hoes, casting nets, and looms also adjusted to a variety of European tools that were put into their hands. The white man

Man war ein lebendes Tier – wie ein Pferd, eine Kuh, ein Schwein –, so dass auch die eigenen Nachkommen Teil des Handels waren. Für die Euro-Amerikaner waren Sklaven wie Vieh, jedoch mit einem entscheidenden Unterschied: Der Sklave war ein verantwortungsbewusstes Wesen. Er war nicht einfach ein abgerichtetes Tier, das nur fähig war, auf gewisse Zeichen zu reagieren. Er war ein denkendes und moralisches Wesen; von ihm wurde verlangt, Recht und Unrecht zu unterscheiden. Im Gegensatz zu einem Pferd, einer Kuh oder einem Schwein konnte er Böses tun und die Verantwortung für sein Verhalten tragen. Die Gesellschaft, die ihn versklavte, war sich dieses Unterschieds bewusst und maß seine Verfehlungen ohne Nachsicht am Gesetz. Ein Schwein im Mais war kein Dieb, ein Sklave in der Räucherkammer war einer. Ein Pferd, das einen grausamen Herrn zu Tode trat, war kein Mörder, ein Sklave, der gegen die Brutalität zuschlug, war einer. Ein Sklave war zwar eine am Markt gehandelte Sache, alles hing jedoch davon ab, dass er auch ein Mensch war.

Der Sklave hatte menschliche Intelligenz; sie wirkte sich auf seinen Marktpreis aus. Die Afrikaner hatten Verfahren für Getreideanbau, Viehzucht, Hausbau, Essenszubereitung, Korbflechterei, Metallarbeit, Bootsbau, Fischfang und den Bau von Tierfallen mitgebracht. Einige dieser Überlieferungen überdauerten Generationen, auch als Afrika längst zu einer undeutlichen und traumhaften Erinnerung geworden war. Da die Sklaven alte Fertigkeiten beibehalten hatten, konnten sie auch neue erwerben. Sie bauten Reis, Indigo, Wassermelonen und Baumwolle wie bisher an, aber sie mussten erst lernen, Feldfrüchte wie Zucker und Mais zu kultivieren, die für sie ebenso neu waren wie für die Europäer. Die Arbeiter, die mit Feldhacken, mit Fischernetzen zum Auswerfen und mit Webstühlen vertraut waren, lernten auch den Umgang mit einer Vielzahl europäischer Werkzeuge, die ihnen in die Hand gegeben

recognized and profited from these capacities, even as he denied their existence. The slave could plan, organize, and direct as well as the master, perhaps better. In that way the slave would be more valuable, more useful, but also more threatening, for as the slave came to understand how little stood between his master and himself, his imagination would certainly conspire to find ways to defy the market system.

Euro-Americans and Afro-Americans seemed to have understood from the beginning that they shared a common humanity; both were different from animals and things. As this was presumed in moral capacity and intelligence, so it was also witnessed in the gratification that each could find in the other. White men had taken black women on the slave coast as well as in the middle passage. In the early colonial years, when white and black servants were often comrades, it was not uncommon for black men and white women, as well as white men and black women, to become sexual partners and "marry." Mulatto offspring would attest to this. Authority never liked the practice, and in its censure was likely to use the word "unnatural" as rhetoric. However, it could never have been more of a crime than fornication or adultery, both natural enough. It would never have been considered as sodomy or bestiality.

The governing authorities of the Southern colonies had many reasons to discourage miscegenation, and they passed laws against it. While white men were never really prohibited from finding their pleasure with black women, rigorous penalties – for the men, death, maiming, castration; for the women, social ostracism – limited black

wurden. Der weiße Mann erkannte diese Fähigkeiten und schlug Gewinn aus ihnen, auch wenn er ihr Vorhandensein bestritt. Ebensogut wie sein Herr, vielleicht besser, konnte der Sklave planen, organisieren und anleiten. Insofern konnte ein Sklave, je nützlicher und wertvoller er war, desto bedrohlicher werden. Denn wenn er dahinterkam, wie gering der Abstand zwischen seinem Herrn und ihm war, konnte er leicht auf den Gedanken verfallen, sich dem Marktsystem zu widersetzen.

Euro- und Afro-Amerikaner scheinen von Anfang an gewusst zu haben, dass ein gemeinsames Menschentum sie verband; beide waren etwas anderes als Sachen und Tiere. Genauso wie dies in bezug auf das moralische Empfinden und auf die Intelligenz vorausgesetzt wurde, wurde es auch durch den Gefallen bezeugt, den sie aneinander fanden. Weiße Männer nahmen an den Sklavenküsten wie auch auf der Überfahrt Schwarze zu Frauen. Zu Anfang der Kolonialzeit, als weißes und schwarzes Gesinde gleichgestellt waren, war es nicht unüblich, dass schwarze Männer und weiße Frauen wie auch weiße Männer und schwarze Frauen Sexualpartner wurden und «heirateten». Mulattenkinder könnten dies bezeugen. Den Höhergestellten gefiel diese Praxis nie, und normalerweise redeten sie von «Unnatürlichkeit», wenn sie sie tadelten. Es handelte sich jedoch niemals um ein größeres Verbrechen als Unzucht oder Ehebruch, die beide recht natürlich sind. Niemals hätte man diese Praxis mit Sodomie und Analverkehr auf eine Stufe gestellt.

Die Regierungsbehörden in den südlichen Kolonien versuchten aus unterschiedlichen Gründen, die Rassenmischung zu verhindern, und erließen also Gesetze dagegen. Während es weißen Männern niemals wirklich unmöglich gemacht wurde, ihr Vergnügen bei schwarzen Frauen zu finden, hielten strenge Strafen – für die Männer Tod, Verstümmlungen, Kastration; für die Frauen gesellschaft-

men from consorting as frequently with white women. However, despite the increasingly elaborate rhetoric and legislation of the master class, all knew well enough that truly "unnatural acts" would not have needed such proscription.

It was a troubling matter to have a marketable commodity who was also human, for the owner could never be wholly free to treat this human being as a thing, and the slave could never be wholly convinced that his human quality did not imply being something more than an object of other people's needs. The disparities abounded. How could one who was not his own master be responsible for his acts? How could one's property be the parent of one's own sons and daughters, who were, themselves, one's chattel?

The dilemma was especially vexing in a society supposedly based on human rights. No one claimed that property had vested rights, but everyone knew human beings did: it was a self-evident truth. Logic would have it one way or the other: either these black people were human and could not be property, or they were property and something less than human.

Many would want to resolve the dilemma, assuming blacks to be less than human. From the first contacts, the differences had seemed striking: color, religion, customs. Certainly that sense of difference gave a predisposition for bigotry. But it was the experience of slavery itself – the living together as master and slave, oppressor and oppressed – and the exclusively racial definition of that status that converted

liche Ächtung – schwarze Männer davon ab, ebenso häufig mit weißen Frauen zu verkehren. Trotz der zunehmend ausgeklügelten Rhetorik und Gesetzgebung der Herrenklasse wussten jedoch alle nur zu gut, dass für wahrhaft «unnatürliche» Handlungen solche Verbote nicht nötig gewesen wären.

Über eine verkäufliche und zugleich menschliche Ware zu verfügen, war eine vertrackte Angelegenheit, denn der Eigentümer war nie völlig frei, diesen Menschen als ein Ding zu behandeln, und der Sklave konnte niemals völlig überzeugt werden, dass sein Menschsein nicht bedeutete, dass er mehr sei als nur ein Objekt für die Bedürfnisse anderer Leute. Ungereimtheiten waren im Überfluss vorhanden. Wie konnte jemand, der nicht sein eigener Herr war, für sein Handeln verantwortlich sein? Wie konnte jemandes Eigentum die Mutter seiner eigenen Söhne und Töchter sein, die dann ihrerseits wieder Eigentum waren?

In einer Gesellschaft, die angeblich auf den Menschenrechten aufbaute, war so ein Widerspruch besonders irritierend. Niemand behauptete, dass Eigentum Rechte zustanden, aber jedermann wusste, dass Menschen Rechte hatten: Das war eine selbstverständliche Wahrheit. Nach aller Logik konnte nur eines von beiden stimmen: Entweder waren diese schwarzen Leute Menschen und konnten kein Eigentum sein, oder sie waren Eigentum und irgend etwas Untermenschliches.

Viele wollten diesen Widerspruch durch die Behauptung lösen, Schwarze seien Untermenschen. Von den ersten Begegnungen an erschienen die Unterschiede gravierend: in Hautfarbe, Religion, Bräuchen. Es war gewiss dieses Gefühl von Unterschiedlichkeit, das einen Hang zur Borniertheit entstehen ließ. Aber es war die Erfahrung der Sklaverei selbst – das Miteinander-Leben als Herr und Sklave, als Unterdrücker und Unterdrückter – und die ausschließlich rassische Definition dieses Status, was die euro-amerikanischen

Euro-American prejudice, bigotry, and ethnocentrism into something more sinister, where, because of race, men and women were excepted from normal human considerations.

As time passed, it was not the differences between the races that became crucial. It would not have been difficult to explain special treatment for an exotic and threatening people. It was, rather, the sameness that was the problem. The more white and black, master and slave, shared the same culture, spoke the same language, were tied by kinship and custom, birthplace and lifestyles, the greater the need for a rationale to justify distinctions and to deny to the one what the other claimed as his natural right.

Laws and customs pushed blacks beyond obligatory immunities. They were not persons in any sense the law need recognize. They could not be contracting parties: their marriages and other agreements had no binding force other than what would suit the convenience of whites. Their word and their witness would not be accepted in official business concerning white men. They had no recourse in the case of injury to their persons or their families, no guarantee of protection for what they might come to possess. Their principal security lay in their master's indulgence, not in the community as expressed by law.

White men searched desperately for differences which could justify an exploitation that went counter to principles. They turned to the Bible's story of Ham's curious offense against his father, which doomed his tribe to servitude. But nothing in that story claimed that Ham's children were different from other humans. Other white men

Vorurteile, die Borniertheit und den Ethnozentrismus in etwas viel Unheimlicheres verwandelte, so dass Männer und Frauen wegen ihrer Rasse von normaler menschlicher Achtung ausgeschlossen wurden.

Im Laufe der Zeit waren nicht die Unterschiede zwischen den Rassen das Entscheidende. Die besondere Behandlung eines exotischen und bedrohlichen Volkes hätte man unschwer erklären können. Eher war die Gleichheit das Problem. Je mehr Schwarz und Weiß, Sklave und Herr dieselbe Kultur teilten, je mehr sie durch Verwandtschaft und Bräuche, Geburtsort und Lebensstil verbunden waren, um so dringlicher benötigte man eine Begründung, um die Unterschiede zu rechtfertigen und den einen abzusprechen, was die anderen als ihr natürliches Recht betrachteten.

Gesetz und Brauch brachten die Schwarzen um allen verlässlichen Schutz. Sie hatten keinen Personen-Status im Sinne des Rechts. Sie konnten keine Verträge schließen: Ihre Ehen und andere Abmachungen hatten keine bindende Kraft, soweit sie nicht der Bequemlichkeit der Weißen förderlich waren. Ihr Wort und ihr Zeugnis zählte nichts in offiziellen Geschäften zwischen weißen Männern. Im Falle einer Verletzung ihrer Person oder ihrer Familien hatten sie keine Zuflucht, es gab keine Schutzgarantie für ihren Besitz. Ihre Sicherheit lag vor allem in der Nachsicht ihres Herrn, nicht in den von der Gemeinschaft erlassenen Gesetzen.

Weiße Männer suchten verzweifelt nach einem Unterschied, der eine Ausbeutung, die ihren Prinzipien eigentlich zuwiderlief, rechtfertigen könnte. Sie bezogen sich auf die biblische Geschichte von Hams eigenartigem Vergehen gegen seinen Vater, das seinen Stamm zur Knechtschaft verdammte. Aber in dieser Geschichte ist keine Rede davon, dass die Kinder Hams sich von anderen Menschen unterschieden. Andere weiße Männer wollten die Bibel

wanted the Bible to say that God had created different types of men, and only white men were the legitimate children of God; Africans, Asians, and American Indians were lesser creatures. The Bible was not really helpful for this purpose, especially among white Protestants, whose fundamentalist notions of scripture ran too deep for them to accept such liberties with Genesis.

During the nineteenth century, the new sciences of ethnology and anthropology offered better opportunities, especially as little literature existed to contradict speculation. There was great room for tendentious conjecture in the name of empirical investigation. Medical doctors claimed physiological and psychological characteristics peculiar to blacks. Slave behavior that did not contribute to the master's interests – "laziness," feigned illness, sabotage, escape – was given impressive Latin names as specific "diseases" said to be "peculiar to Negroes." In the early decades of the nineteenth century, some Euro-American scientists, known as "the American School," measured the size and shape of human skulls and claimed to have discovered a difference in favor of Europeans over all other peoples. Rather than *Man*, these scientists argued, there were *Types of Mankind* forming an ascending chain from the lower animals and primates. The closest to the ape were blacks, and at the apex of nature's achievement were white men. In response to questions of how truly different species can mate to produce offspring, they quickly pointed out that horses and donkeys could produce mules, so whites and blacks could produce mulattoes. And to those who would argue that mules were sterile as a result of such cross-breeding

so auslegen, dass Gott unterschiedliche Menschentypen erschaffen habe und dass einzig und allein die Weißen rechtmäßige Kinder Gottes seien, Afrikaner, Asiaten und Indianer dagegen niedrigere Kreaturen. Die Bibel war zu diesem Zweck nicht wirklich hilfreich, besonders nicht bei weißen Protestanten, deren fundamentalistische Auffassung von der Schrift zu tief ging, als dass sie solche Freiheiten gegenüber der Genesis gelten lassen konnten.

Während des 19. Jahrhunderts boten die neuen Wissenschaften Ethnologie und Anthropologie bessere Alternativen, insbesondere da wenig Literatur existierte, um Spekulationen zu widerlegen. Es gab viel Raum für tendenziöse Vermutungen, die als empirische Untersuchungen ausgegeben wurden. Doktoren der Medizin behaupteten, es gebe physische und psychische Eigenschaften, die den Schwarzen eigentümlich seien. Sklavenverhalten, das für die Herreninteressen ungünstig war – «Faulheit», vorgespielte Krankheiten, Sabotage, Flucht –, wurden mit eindrucksvollen lateinischen Namen als typische «Leiden» bezeichnet, die «den Negern eigentümlich» seien. In den ersten Dekaden des 19. Jahrhunderts vermaßen einige euro-amerikanische Wissenschaftler, die als «die Amerikanische Schule» bekannt wurden, die Größe und Form menschlicher Schädel und behaupteten, im Vergleich der verschiedenen Völker einen Unterschied zugunsten der Europäer entdeckt zu haben. Diese Wissenschaftler argumentierten, dass es nicht eine einheitliche *Menschheit* gäbe, sondern eher *Menschentypen*, die von den niedrigeren Tieren über die Affen eine aufsteigende Kette bildeten. Schwarze stünden den Affen am nächsten, und der Gipfel der Errungenschaften der Natur seien die weißen Männer. Auf die Frage, wie denn wirklich verschiedene Arten sich paaren und Nachwuchs zeugen könnten, entgegneten sie ohne Zögern, dass wie von Pferden und Eseln Maultiere, so von Weißen und Schwarzen Mulatten hervorgebracht werden könnten. Und

while mulattoes could reproduce, they claimed that mulattoes were "weaker" than their parents and within a few generations they, too, would be sterile.

Black men and women were unlikely to know of such "science." Only a few whites, for that matter, would be acquainted with these theories, and only a handful of those would take them seriously. But both blacks and whites could understand what these speculations reflected. In the United States, it was so much more convenient for blacks to be considered less human than whites that it set the tide against all reason, logic, and empirical observation.

Afro-Americans, as slaves, swam against that current, defying it and in many ways overcoming it. That is why they were troublesome property. Not only did they revolt, escape, and otherwise resist enslavement, but even in accommodating, they maintained their human quality.

Some white owners responded to this dilemma with human accommodations of their own. Rather than hold to the property side, they would enhance personal relationships, making their slaves part of the family (which, as a matter of fact, they sometimes were); they would hold them as trusted friends. But this behavior worked only insofar as such whites and their slaves could insulate themselves from the exigencies of the system. Whenever there was cause to go outside private understandings and to touch base with public expectations, the property side would be reasserted as the hard ground on which all stood.

denen gegenüber, die argumentierten, dass Maultiere aufgrund der Kreuzung steril waren, wohingegen Mulatten sich fortpflanzen konnten, behaupteten sie, dass Mulatten «schwächer» als ihre Eltern und in ein paar Generationen ebenfalls steril wären.

Schwarze Männer und Frauen kannten solche «Wissenschaft» meistens nicht. Eigentlich waren auch nur wenige Weiße mit diesen Theorien vertraut, und wohl nur eine Handvoll nahm sie ernst. Aber sowohl Schwarze wie Weiße konnten begreifen, was diese Spekulationen widerspiegelten. In den Vereinigten Staaten war es eben sehr viel bequemer, Schwarze für weniger menschlich als Weiße zu halten, so dass diese Strömung sich durchsetzte, obwohl sie aller Vernunft, Logik und empirischer Beobachtung zuwiderlief.

Afro-Amerikaner stemmten sich als Sklaven gegen diese Auffassung, sie trotzten ihr und überwanden sie in vieler Hinsicht. Darum waren sie ein schwieriges Eigentum. Nicht nur, dass sie revoltierten und flohen und sich sonstwie der Sklaverei widersetzten, auch wenn sie sich fügten, behielten sie ihr Menschsein.

Manche weiße Besitzer reagierten auf dieses Dilemma mit eigenem menschlichen Entgegenkommen. Anstatt auf dem Eigentumsaspekt zu beharren, verstärkten sie die persönlichen Beziehungen, indem sie die Sklaven zu einem Teil ihrer Familie machten (was sie manchmal ja tatsächlich waren); sie behandelten sie wie vertrauenswürdige Freunde. Aber dieses Verhalten wirkte nur dann und dort, wo sich solche Weiße und ihre Sklaven von den Zwängen des Systems abkapseln konnten. Immer wenn es einen Anlass gab, sich außerhalb des privaten Selbstverständnisses zu bewegen und mit den öffentlichen Erwartungen in Berührung zu kommen, behauptete sich der Eigentumsaspekt mit Festigkeit, als der harte Boden, auf dem alles aufbaute.

Eugene Genovese: Reading, Writing, and Prospects

The laws against teaching slaves to read and write grew out of a variety of fears, the simplest of which concerned the forging of passes by potential runaways. The argument expressed with greatest agitation concerned the dangers of incendiary literature. Proslavery ideologues like Chancellor Harper and J. H. Hammond of South Carolina thought that only madmen would risk having their slaves read abolitionist pamphlets. But each carried the argument further. Hammond pointed out that even the Catholic Church had long denied the Scriptures to the ignorant and impressionable – quite an argument from a Protestant – and Harper, with greater restraint, added, "The slave receives such instruction as qualifies him for his particular station." In a similar vein Judge Lumpkin of the Supreme Court of Georgia spoke out in favor of the repressive laws: "These severe restrictions ... have my hearty and cordial approval. Everything must be interdicted which is calculated to render the slave discontented." (...)

Even in colonial times powerful opposition to slave literacy arose among slaveholders in an attempt to prevent the forging of passes but also to head off insurrection or at least to weaken any prospective insurrectionary leadership. South Carolina and Georgia pioneered in repressive legislation during the middle of the eighteenth century. Despite periods of modest liberalization, the restrictions grew worse over time. Lo-

Eugene Genovese: Lesen, Schreiben und Aussichten

Die Gesetze gegen die Unterrichtung von Sklaven im Lesen und Schreiben erwuchsen aus einer Vielzahl von Befürchtungen, deren schlichteste sich auf die Fälschung von Pässen durch mögliche Ausreißer richtete. Das Argument jedoch, das mit der größten Heftigkeit vorgetragen wurde, betraf die Gefahr durch aufwiegelnde Schriften. Ideologische Befürworter der Sklaverei, wie der Kanzler Harper und J. H. Hammond aus South Carolina, dachten, dass nur Verrückte es riskieren würden, ihre Sklaven Flugblätter lesen zu lassen, die für die Abschaffung der Sklaverei eintraten. Doch jeder der beiden ergänzte das Argument. Hammond wies darauf hin, dass auch die katholische Kirche lange Zeit den Ungebildeten und leicht Beeinflussbaren die Heilige Schrift verweigert habe – was für ein Argument von einem Protestanten! –, und Harper fügte mit etwas mehr Bedacht hinzu: «Der Sklave erhält den Unterricht, der ihn für seine besondere Lebensaufgabe befähigt.» Richter Lumpkin vom obersten Gerichtshof in Georgia sprach sich auf ähnliche Art und Weise für die repressiven Gesetze aus: «Diese strengen Beschränkungen ... haben meine ungeteilte und aufrichtige Zustimmung. Alles was darauf abzielt, den Sklaven unzufrieden zu machen, muss verboten werden.» (...)

Schon zur Kolonialzeit entstand unter den Sklavenhaltern mächtiger Widerstand gegen die Alphabetisierung der Sklaven. Einerseits wollte man die Fälschung von Pässen verhindern, zum anderen sollten Aufstände abgewendet oder zumindest alle zukünftigen Unruhestifter geschwächt werden. Mitte des achtzehnten Jahrhunderts begannen South Carolina und Georgia mit repressiven Gesetzen. Wohl gab es gelegentlich eine bescheidene Liberalisierung, langfristig jedoch wurden die Beschränkungen schlimmer.

cal ordinances supplemented state laws; in some places it became a crime merely to sell writing materials to slaves. The Nat Turner revolt completed the reactionary course in the Lower South and influenced the Upper South as well. Alabama's harsh legislation grew directly out of the post-insurrectionary panic of 1831-1832. In Arkansas and Tennessee the legislatures resisted the exponents of legal repression, but public opinion had so hardened that the actual opportunities for slaves to learn had probably decreased as much as elsewhere. Kentucky also held out, and, possibly, public opinion remained calmer and opportunities more available. Missouri caught up with the Lower South in the late 1840s, when ideological lines were being drawn across the nation. The specific reasons for the reaction notwithstanding, Josiah Henson expressed the more general reason in his reflections on having eventually learned to read:

"It was, and has been ever since, a great comfort to me to have made this acquisition; though it has made me comprehend better the terrible abyss of ignorance in which I had been plunged all my previous life. It made me also feel more deeply and bitterly the oppression under which I had toiled and groaned; but the crushing and cruel nature of which I had not appreciated, till I found out, in some slight degree, from what I had been debarred. At the same time it made me more anxious than before to do something for the rescue and the elevation of those who were suffering the same evils I had endured, and who did not know how degraded and ignorant they really were."

The estimate by W. E. B. Du Bois that, despite prohibitions and negative public opinion, about 5 percent of the slaves had learned to read by 1860

Lokale Verordnungen ergänzten die Gesetze der Staaten; mancherorts war es schon strafbar, Schreibutensilien an Sklaven zu verkaufen. Der Nat-Turner-Aufstand bewirkte das Obsiegen der Reaktion im Lower South und beeinflusste auch den Upper South. Alabamas harte Gesetzgebung folgte direkt auf die Panik nach dem Aufstand 1831/32. In Arkansas und Tennessee widersetzten sich die Gesetzgeber den Verfechtern der Rechte-Einschränkung, doch die öffentliche Meinung hatte sich so verhärtet, dass sich die tatsächlichen Lernmöglichkeiten für Sklaven wohl ebenso verringerten wie anderswo. Auch Kentucky gab nicht nach, möglicherweise blieb dort auch die öffentliche Meinung gemäßigter, und folglich boten sich wohl auch mehr Chancen. Als sich die ideologischen Trennungslinien der Nation in den späten 1840er Jahren immer mehr verfestigten, zog Missouri mit dem Lower South gleich. Ohne auf die spezifischen Ursachen der Reaktion einzugehen, erörterte Josiah Henson den eigentlichen Grund, warum er schließlich doch lesen gelernt hatte:

«Es war und ist mir immer noch ein großer Trost, zu dieser Errungenschaft gelangt zu sein, obwohl es mich den schrecklichen Abgrund, in dem ich mich mein ganzes früheres Leben lang befunden hatte, besser verstehen ließ. Es ließ mich die Unterdrückung, unter der ich schuftete und ächzte, tiefer und schmerzlicher erkennen; dieses zerstörerischen und grausamen Charakters war ich mir nicht bewusst gewesen, bis ich nicht zumindest eine Ahnung davon bekam, was mir verwehrt worden war. Gleichzeitig verstärkte es mein Bestreben, etwas für die Rettung und Bildung derer zu tun, die unter dem selben Übel litten, das ich erduldet hatte, und nicht wussten, wie erniedrigt und unwissend sie wirklich waren.»

W. E. B. Du Bois' Schätzung, dass trotz des Verbots und der negativen öffentlichen Meinung bis 1860 etwa fünf Prozent der Sklaven lesen lernten, ist völlig plausibel und

is entirely plausible and may even be too low. Undoubtedly, most of the literate slaves lived in the towns and cities or had worked in them for some time. Towns and cities provided a friendlier climate, not so much because of a more liberal white public opinion as because of the favorable opportunities that local conditions opened up to black initiatives. Free Negroes and literate slaves had some space to teach others, even at the risk of punishment. Black efforts appear to have been more important than white in this respect, although some whites, either out of a sense of duty or for pecuniary gain, conducted illegal schools.

The least advance in literacy in the countryside undoubtedly occurred on the large plantations of the Black Belt, for both law and a hostile public opinion operated there with the greatest force and effectiveness. Yet, literate slaves appeared everywhere, no matter how unfavorable the atmosphere. Slaveholders, travelers, and ex-slaves agreed that many plantations had one or more literate slaves and that any given locality had some. Thus, the most restricted and isolated plantation slaves normally had contact with some who could transmit information about the wider world, and who were probably responsible for the rapid spread of political news among the slaves, especially just before and during the war. Each of these disparate historical sources contains the observation that the blacks had a much greater desire to learn than the poor whites or even the solid yeomen.

How did the country slaves learn? Who taught them? The most obvious part of the an-

könnte sogar zu niedrig angesetzt sein. Zweifelsohne lebten die meisten Sklaven, die lesen und schreiben konnten, in Städten oder hatten zeitweise dort gearbeitet. In Städten herrschte ein freundlicheres Klima, nicht so sehr wegen der liberaleren öffentlichen Meinung der Weißen als wegen der günstigeren Gelegenheiten, die sich dem schwarzen Unternehmergeist unter manchen örtlichen Bedingungen boten. Freie Neger und Sklaven, die lesen und schreiben konnten, hatten einen gewissen Freiraum, andere zu unterrichten, wenn auch mit dem Risiko der Bestrafung. Schwarze Bemühungen scheinen in dieser Hinsicht stärker gewesen zu sein als weiße, obwohl einige Weiße, aus Pflichtgefühl oder aus materiellem Interesse, illegale Schulen unterhielten.

Auf dem Land machte die Alphabetisierung den geringsten Fortschritt zweifelsohne auf den großen Plantagen des Black Belt, denn sowohl die Gesetze als auch die feindselige öffentliche Meinung wirkten dort mit der größten Kraft und Effizienz. Doch Sklaven, die lesen und schreiben konnten, tauchten überall auf, unabhängig davon, wie widrig die Umstände waren. Sklavenhalter, Reisende und ehemalige Sklaven berichten übereinstimmend, dass in vielen Plantagen ein Sklave oder mehrere lebten, die lesen und schreiben konnten, und dass es in jedem Ort ein paar davon gab. Auf diese Weise standen selbst die eingeschränktesten und isoliertesten Plantagensklaven normalerweise in Verbindung mit ein paar anderen, die Informationen über die Außenwelt weiterleiten konnten und denen möglicherweise die schnelle Verbreitung politischer Nachrichten unter den Sklaven zu verdanken war, insbesondere kurz vor dem und während des [Sezessions-]Krieges. In jeder dieser unterschiedlichen historischen Quellen wird bemerkt, dass die Schwarzen ein viel größeres Lernverlangen hatten als arme Weiße oder selbst die bodenständigen Freibauern.

Wie lernten die Landsklaven? Wer lehrte sie? Am deutlichsten vernehmlich war die Stimme der Sklavenhalter,

swer came from the slaveholders, who, as usual, took full credit. Throughout the South some masters, more mistresses, and even more white children scoffed at the law, which was unenforceable on the plantations anyway, and instructed a favorite or two or some other slave who persisted in the demand. Ex-slaves tell of masters who would teach mulatto children but not black, or house slaves but not field hands, but these distinctions did not prevail. House slaves received more attention because of their greater intimacy with the whites, but most of the masters' efforts went to the children, who rarely were segregated according to the status of their parents. A master or mistress who felt it a duty to teach the slaves generally taught those for whom he or she had time or whose determination had become apparent. The greatest effort seems to have come from the white children, who often disobeyed their parents' orders and taught their black playmates. These efforts proceeded within narrow limits, but without them the slaves' lot would have been infinitely harder. The slaves' own attempts to teach each other had to begin with an opportunity created by some friendly white person. The impulses among the whites varied from those of interest, such as that of a young master who said the law could go to hell since he simply had to have someone literate among the slaves, to those of conscience, such as that suggested in 1860 by a mistress who had failed in her perceived duty. "This teaching of Negroes," she wrote, "is a sore problem to me! It ought to be done and I ought to do it.... My difficulties I am convinced beset many

die, wie üblich, das Verdienst für sich alleine in Anspruch nahmen. In den ganzen Südstaaten setzten sich manche Herren, mehr Herrinnen und noch mehr weiße Kinder über die Gesetze hinweg, die auf Plantagen sowieso nicht durchsetzbar waren, und unterrichteten einen oder zwei Günstlinge oder einen Sklaven, der mit seiner Forderung nicht locker ließ. Exsklaven berichten von Herren, die zwar Mischlingskinder, nicht aber schwarze unterrichteten, oder zwar Haussklaven, nicht jedoch Feldarbeiter, aber diese Unterscheidungen ließen sich nicht durchhalten. Haussklaven erhielten wegen ihrer größeren Nähe zu den Weißen mehr Zuwendung, doch die meisten Bemühungen der Herren galten den Kindern, die selten nach dem Status ihrer Eltern getrennt wurden. Ein Herr oder eine Herrin, die sich zur Unterrichtung der Sklaven verpflichtet fühlten, unterrichteten im allgemeinen die, für die sie Zeit hatten oder solche, deren Zielstrebigkeit zu erkennen war. Die meiste Mühe scheinen sich die weißen Kinder gegeben zu haben, die oft den Anweisungen ihrer Eltern nicht gehorchten und ihre schwarzen Spielkameraden unterrichteten. All diese Anstrengungen hielten sich in engen Grenzen, aber ohne sie wäre das Los der Sklaven unendlich viel härter gewesen. Die Sklaven konnten mit ihren Versuchen, sich gegenseitig zu unterrichten, erst beginnen, nachdem eine freundlich gesinnte weiße Person eine Gelegenheit geschaffen hatte. Weiße hatten unterschiedliche Beweggründe; diese reichten von Eigeninteresse, wie dem eines jungen Herrn, der sagte, das Gesetz könne ihm gestohlen bleiben, da er unter den Sklaven einfach einen haben müsse, der lesen und schreiben könne – bis hin zu Gewissensgründen, wie dem, den 1860 eine Herrin andeutete, die das, was sie für ihre Pflicht hielt, nicht erfüllt hatte. «Neger zu unterrichten», schrieb sie «ist ein dringliches Problem für mich! Es muss getan werden und ich muss es tun.... Unter denselben Schwierigkeiten leidet

a well-intentioned mistress who, like me, does nothing because she cannot do what she feels she *ought.*"

This occasional white support would have come to naught had the slaves not responded to the opportunity and had they not used their acquired skill to teach others. Elijah P. Marrs recalled an old plantation slave who had taught others after ten o'clock at night. Sometimes a literate slave taught others with his master's permission, more often without it. An old black preacher in Georgia moaned on his dying bed that he had caused the death of many slaves by teaching them to read and write. More commonly, slave children who had to carry the books of the white children to school would sit outside, listen, and try to keep up with the lessons. Here and there a slave (...) taught [himself] to read by sheer act of will.

Dr. Du Bois observed: "There is no doubt but that the thirst of the black man for knowledge – a thirst which has been too persistent and durable to be mere curiosity or whim – gave birth to the public free-school system of the South. It was the question upon which black voters and legislators insisted more than anything else...." Sidney Andrews made the point in 1865 when he visited a freedmen's convention in North Carolina and expressed surprise at the seriousness of the delegates. Freedom of labor remained uppermost in their minds, but no more so than the education of their people. He contrasted sharply the indifference of the yeomen whites to the education of their children with the passion of the blacks. Writing later from Georgia, he continued: "However poor or ignorant or unclean, or improvident he may be,

ganz bestimmt so manche wohlmeinende Herrin, die wie ich nichts tut, denn sie kann nicht tun, was sie ihrem Gefühl nach müsste.»

Die gelegentliche weiße Unterstützung wäre wirkungslos geblieben, wenn nicht die Sklaven auf die Chancen reagiert und ihre erworbenen Fähigkeiten genutzt hätten, um andere zu unterrichten. Elijah P. Marrs erinnerte sich an einen alten Plantagensklaven, der nach zehn Uhr abends andere unterrichtete. Manchmal unterrichtete ein Sklave, der lesen und schreiben konnte, andere mit der Erlaubnis ihres Herrn, meistens jedoch ohne. Ein alter schwarzer Prediger in Georgia stöhnte auf seinem Totenbett, dass er den Tod vieler Sklaven zu verantworten habe, da er ihnen Lesen und Schreiben beigebracht hatte. Häufig saßen Sklavenkinder, die die Bücher der weißen Kinder zur Schule tragen mussten, vor der Tür, hörten zu und versuchten dem Unterricht zu folgen. Hin und wieder brachte ein Sklave (...) sich selbst durch einen reinen Willensakt das Lesen bei.

Dr. Du Bois stellte fest: «Es gibt keinen Zweifel, dass der Wissensdurst des schwarzen Mannes – ein Drang, der zu beharrlich und dauerhaft war, um nur als Neugier oder Laune abgetan zu werden – das öffentliche kostenlose Schulsystem im Süden ins Leben gerufen hat. Es war eine Forderung, auf der schwarze Wähler und Gesetzgeber mehr als auf irgend etwas anderem bestanden...» Sidney Andrews stellte dasselbe fest, als er 1865 das Treffen der *Freedmen* in North Carolina besuchte und seine Überraschung über die Ernsthaftigkeit der Delegierten zum Ausdruck brachte. Die Freiheit der Arbeit stand an oberster Stelle in ihrem Bewusstsein, aber nicht höher als die Ausbildung ihres Volkes. Er trennte scharf zwischen der Gleichgültigkeit der weißen Freibauern gegenüber der Erziehung ihrer Kinder und dem leidenschaftlichen Engagement der Schwarzen. Später schrieb er aus Georgia: «Egal wie arm, unwissend, schmutzig oder sorglos ein Neger sein mag,

I never yet found a negro who had not at least a vague desire for a better condition, an undefined longing for something called freedom, a shrewd instinct of self-preservation. These three ideas – or, let me say, shadows of ideas – do not make the creature a man, but they lift him out of the bounds of brutedom. The Georgia "cracker" ... seems to me to lack not only all that the negro does, but also even the desire for a better condition and the vague longing for an enlargement of his liberties and his rights."

The freedmen's efforts to educate themselves and their children provide one of the most moving chapters in American social history, and historians are finally giving it the attention it deserves. Northern white support played an important role, but the extent to which blacks with few resources and little experience scraped to pay for schools and teachers stands out like a miracle. Escaped slaves like Susie King and free Negroes like Charlotte Forten did everything they could to teach the freedmen, and others, newly freed themselves, taught what little they knew to those who knew less. The desire for education everywhere exploded. For the freedmen, as for the slaves before them, it represented the Keys of the Kingdom.

The roots of black enthusiasm for education lay deep in the slave past. As early as the 1750s, Samuel Davies found the slaves eager pupils when he sought to teach them to read as part of his campaign to win converts. The poignancy of the slaves' struggle for learning appeared everywhere. Fredrika Bremer found a young woman desperately trying to read the Bible. "Oh, this book," she cried out to Miss Bremer. "I turn and turn over its

fand ich doch nie einen, der nicht zumindest einen vagen Wunsch nach besseren Verhältnissen gehabt hätte, ein vages Verlangen nach etwas, das Freiheit genannt wird, einen gewitzten Selbsterhaltungsinstinkt. Diese drei Ideen – oder lassen Sie mich sagen: Schatten von Ideen – machen aus einem Wesen keinen Menschen, aber sie erheben ihn über die Grenzen der Wildheit. Dem Georgia ‹Cracker› ... scheint nicht nur all das zu fehlen, was dem Neger fehlt; er hat noch nicht einmal den Wunsch nach besseren Verhältnissen und die vage Sehnsucht nach einer Erweiterung seiner Freiheiten und Rechte.»

Die Bemühungen der *Freedmen*, sich selbst und ihre Kinder zu bilden, sind eines der bewegendsten Kapitel der amerikanischen Sozialgeschichte, und die Historiker wenden ihnen endlich die Aufmerksamkeit zu, die ihnen gebührt. Weiße Unterstützung aus dem Norden spielte eine wichtige Rolle, doch all das, was Schwarze mit wenigen Mitteln und kaum Erfahrung zusammenkratzten, um Schulen und Lehrer zu bezahlen, erscheint wie ein Wunder. Geflohene Sklaven wie Susie King und freie Neger wie Charlotte Forten taten alles, was sie konnten, um *Freedmen* zu unterrichten, und andere, gerade eben selbst befreit, brachten das wenige, das sie selber wussten, denen bei, die noch weniger wussten. Überall explodierte das Verlangen nach Bildung. Für die *Freedmen*, ebenso wie für die Sklavengenerationen vor ihnen, bedeutete Bildung den Schlüssel zum Himmelreich.

Die Wurzeln der schwarzen Begeisterung für Bildung lagen tief in der Sklavenvergangenheit. Schon 1750 fand Samuel Davies eifrige Schüler in den Sklaven, als er sich bemühte, ihnen im Rahmen seiner Bekehrungsarbeit das Lesen beizubringen. Überall machte sich der eindrucksvolle Kampf der Sklaven um Bildung bemerkbar. Fredrika Bremer fand eine junge Frau, die verzweifelt versuchte, die Bibel zu lesen. «Oh, dieses Buch», wehklagte sie gegenüber Miss Bremer, «ich blättere und blättere und wünschte, ich ver-

leaves, and I wish I understood what is on them. I try and try; I should be so happy if I could read, but I can not." An ex-slave woman from Tennessee recalled: "I remember once I was hired out and I was trying to say my alphabets backward and forward from memory. I just cried because I couldn't say them backward from memory ... but I could say them forward." Among the bitterest recollections of ex-slaves were those of whippings for trying to learn to read. Few things so outraged their sense of justice. Dr. LeConte told Sir Charles Lyell that his black carpenter once came to him in great delight. He had determined that each side of a hexagon equaled the radius of a circle drawn around it. When LeConte told him that the "discovery" was common knowledge, he replied that, had he been taught it he could have made great use of it in his work. This attitude, less dramatically manifested, inspired many slaves and guaranteed that, in George Brown Tindall's words, "Even behind the façade of slavery, a Negro leadership was developing."

These herculean, if exceptional, efforts by people with little leisure and less encouragement provide the context for Susan Dabney Smedes's smug but typical assertion: "Some of the sons taught those of the plantation negroes who cared to learn, but very few were willing to take the trouble to study." Even so, she recalled some successful scholars, five of whom went on to become preachers. Fanny Kemble saw things differently: "If they are incapable of profiting by instruction, I do not see the necessity for laws inflicting heavy penalties on those who offer it to them.... We have no laws forbidding us to teach our dogs

stünde, was auf den Seiten steht. Ich versuche und versuche es; ich wäre so glücklich, wenn ich lesen könnte, aber ich kann es nicht.» Eine Exsklavin aus Tennessee berichtete: «Ich weiß noch, wie ich einmal, als ich vermietet wurde, den Versuch machte, das Alphabet vorwärts und rückwärts aufzusagen. Ich weinte, weil ich es nicht rückwärts konnte... aber vorwärts konnte ich es.» Zu den bittersten Erinnerungen von Exsklaven gehören die an Auspeitschungen für den Versuch, lesen zu lernen. Wenig beleidigte ihren Gerechtigkeitssinn so sehr. Dr. LeConte erzählte Sir Charles Lyell, dass eines Tages sein schwarzer Schreiner voll Freude zu ihm kam. Er hatte festgestellt, dass jede Seite eines regelmäßigen Sechsecks gleich lang ist wie der Radius des Kreises um dieses Sechseck. Als LeConte ihm erklärte, dass seine «Entdeckung» allgemein bekannt war, antwortete er, dass er, wenn er das hätte lernen dürfen, in seiner Arbeit guten Gebrauch davon hätte machen können. Diese Einstellung, auch wenn sie meist nicht so theatralisch zum Ausdruck kam, beflügelte viele Sklaven und war Garant dafür, dass, mit den Worten von George Brown Tindall, «sich selbst hinter der Fassade der Sklaverei eine Neger-Anführerschaft entwickelte».

Diese außergewöhnlichen, geradezu übermenschlichen Anstrengungen eines Volkes mit wenig Freizeit und noch weniger Unterstützung liefern den Hintergrund für Susan Dabney Smedes' etwas selbstgefällige, aber typische Feststellung: «Einige Söhne unterrichteten Plantagen-Neger, die lernen wollten; aber nur sehr wenige waren willig, die Mühen des Studiums auf sich zu nehmen.» Immerhin erinnerte sie sich an einige erfolgreiche Studenten, von denen fünf Pfarrer wurden. Fanny Kemble sah die Sache anders: «Falls sie unfähig sind, vom Unterricht zu profitieren, sehe ich keine Notwendigkeit für Gesetze, die denjenigen, die [solchen] Unterricht anbieten, hohe Strafen androhen.... Es gibt auch keine Gesetze, die uns untersagen, unseren

and horses as much as they can comprehend." The slaves, she added, would seize the chance to learn, and their masters knew it. During the war Elizabeth Hyde Botume taunted some southern white women in the same manner when they insisted that the blacks were unteachable. Oh, they replied, we meant the country niggers. The house slaves, it seems, "were smart enough for anything."

That more slaves did not perform heroically and kill themselves trying to grasp the mysteries of the book means little, for the conditions were appallingly difficult. The story lies with those who managed to do it. The obstacles did not all concern fatigue, limited cultural horizons, a lack of books and paper or of an available tutor. Beyond all these lurked another. Mrs Kemble suggested to the son of a literate plantation slave that he ask his father to teach him to read. He answered "with a look and manner that went to my very heart. 'Missus, what for me learn to read? me have no prospect.'"

Hunden oder Pferden so viel beizubringen, wie sie verstehen können.» Sie fügte hinzu: Die Sklaven würden die Möglichkeit zu lernen schon ergreifen, und ihre Herren wüssten das auch. Während des [Sezessions-]Krieges verspottete Elizabeth Hyde Botume einige weiße Südstaatlerinnen, als diese hartnäckig behaupteten, Schwarze seien unbelehrbar, auf die gleiche Art. Oh, antworteten die Frauen, wir meinten die Land-Nigger. Die Hausklaven scheint es, «waren klug genug – für was auch immer».

Dass nicht noch mehr Sklaven so Heroisches leisteten und sich bei dem Versuch, die Mysterien des Buches zu begreifen, fast umbrachten, besagt nicht viel, denn die Umstände waren entsetzlich schwierig. Es ist wichtig, von denen zu berichten, die es schafften. Denn nicht nur Arbeitsüberlastung, beschränkter kultureller Horizont, Mangel an Büchern und Papier oder das Fehlen eines Lehrers waren hinderlich. Hinter all dem lauerte ein weiteres Hindernis. Dem Sohn eines Plantagen-Sklaven riet Mrs Kemble, er solle seinen Vater, der lesen und schreiben konnte, bitten, ihm das Lesen beizubringen. Der Junge antwortete «mit einem Blick und einer Art, die mir zu Herzen gingen. ‹Missus, wozu sollte ich lesen lernen? Ich habe keine Aussichten.›»

Vincent Harding: Creating a New Vision of America

Passing through Norfolk, Virginia, on his way south during that spring of 1865, a Northern newspaper man noted that every black dwelling in the city "exhibited the tender tokens of mourning for the good, dead President." Everywhere in the nation, the story was the same. In the midst of the ecstasy of this year of freedom, just days after word of "the Surrender" had sent paroxysms of thanksgiving and joy flooding through their lives, the black communities of America were stunned and sobered by the assassination of Abraham Lincoln. In the terrible darkness of mid-April some ways of Providence seemed hard to fathom; the chariot of vengeance had stopped at strange doors. So in their memorial meetings they spoke of "a national calamity... an irrepressible loss beyond the power of words to express." (...)

In spite of the difficulties they had had with him during the war, the children of Africa in America considered Lincoln a friend, an ally, a leader in their developing struggle to create the institution of freedom, to chart the new land. Now his death in a heroic, sacrificial mode made it possible for the emerging black community to avoid the harsh and certain clashes between their soaring visionary projections and the President's attempts to keep the future of black freedom in narrow bounds, to hold the rushing river within limits that he and other well-meaning whites could manage. So, after April 15, Abraham Lincoln could serve as a mythic symbol of Emancipation, a companion to John Brown, while black people tried to size up the

Vincent Harding: Die Schaffung einer neuen Vision für Amerika

Als im Frühjahr 1865 ein Zeitungsmann aus dem Norden auf seiner Reise in den Süden durch Norfolk, Virginia, kam, fiel ihm auf, dass in der Stadt alle Wohnungen von Schwarzen «Zeichen schmerzlicher Trauer um den guten, toten Präsidenten zeigten». Und so war es im ganzen Land. Mitten im Freudentaumel des Jahres der Befreiung, nur wenige Tage, nachdem die Nachricht von der Kapitulation tiefe Dankbarkeit und eine Welle des Glücks in ihr Leben gebracht hatte, überwältigte und ernüchterte das Attentat auf Abraham Lincoln die schwarzen Gemeinden in Amerika. In diesem furchtbar düsteren Augenblick Mitte April erschien mancher Weg der Vorsehung unergründlich, niemand hatte mit diesem Schicksalsschlag gerechnet. So sprachen sie in ihren Gedenkveranstaltungen von einer «nationalen Katastrophe ... einem unüberwindbaren Verlust, mit Worten nicht auszudrücken». (...)

Trotz der Schwierigkeiten, die sie mit ihm während des Krieges gehabt hatten, betrachteten die Kinder Afrikas in Amerika Lincoln als Freund, als Verbündeten, als Führer ihres aufkeimenden Kampfes um die Schaffung einer freiheitlichen Ordnung und bei der Erneuerung des Landes. Sein heldenhafter Opfertod ersparte der sich herausbildenden schwarzen Gemeinschaft die sonst wohl unvermeidlichen harten Auseinandersetzungen zwischen ihren hochfliegenden und visionären Vorstellungen und den Versuchen des Präsidenten, die künftige schwarze Freiheit deutlich zu beschränken, den brausenden Fluss so in Grenzen zu halten, dass er und andere wohlmeinende Weiße damit zurechtkommen könnten. So konnte Abraham Lincoln nach dem 15. April zu einem mythischen Symbol der Emanzipation werden, eine Art John Brown, während die Schwarzen sich mit der alltäglichen Realität und ihren

flesh-and-blood realities and prospects of Andrew Johnson, Lincoln's Vice-President and successor. They had heard that Johnson, a Tennessee loyalist, hated the Southern aristocrats who had been the leaders of the Confederacy. At one point, while military governor of Tennessee, he had told its newly freed people that he was willing to be their Moses. Time alone would reveal what that meant. Meanwhile black people refused either to be mesmerized by their mourning for "the good, dead President," or to live on false hope concerning the self-proclaimed Moses. Rather, in that spring of grief and exaltation, where the paths of God were not always clear and their friends not easily identifiable, they continued to move forward, making their own way.

In thousands of individual and collective actions black men and women persistently experimented with freedom, tentatively creating its forms and content. Working at the communal bedrock of their religion, blacks made it clear that freedom meant independence from white control of their churches, of their organized religious lives. (...)

In Raleigh, North Carolina, a Methodist congregation left no doubts in the minds of their former masters about their reasons for wanting to move toward a new, free, black way. Indeed, they taught their own lesson in religion and politics as they challenged the white Christians. The Wesley Chapel members said they were determined to separate from the white Southern Methodist connection because that church believed in "perpetuating slavery," and had seceded from the Northern Methodists over the issue.

Zukunftsaussichten unter Andrew Johnson, dem Vizepräsidenten und Nachfolger Lincolns, auseinandersetzen mussten. Sie hatten gehört, dass Johnson, der, obwohl aus Tennessee stammend, ein getreuer Anhänger der Nordstaaten war, die Aristokraten der Südstaaten, die die Konföderierten angeführt hatten, hasste. Als er noch Militärgouverneur von Tennessee war, hatte er dem jüngst befreiten Volk verkündet, dass er bereit sei, ihr Moses zu sein. Die Bedeutung dieser Aussage würde sich erst mit der Zeit zeigen. Inzwischen ließen sich die Schwarzen weder von ihrer Trauer um den «guten, toten Präsidenten» überwältigen, noch wiegten sie sich in der falschen Hoffnung auf den selbsternannten Moses. Statt dessen gingen sie in diesem Frühjahr der Trauer und der Begeisterung, als der Weg Gottes nicht immer erkennbar und Freund und Feind nicht leicht zu unterscheiden waren, weiter ihren eigenen Weg.

Schwarze Männer und Frauen entwarfen vorsichtig die Formen und Inhalte der neuen Freiheit, indem sie sie beharrlich durch tausenderlei individuelle und gemeinschaftliche Aktionen erprobten. Bei ihren Bemühungen um eine gemeinsame Basis ihrer Religion machten die Schwarzen klar, dass Freiheit für sie auch die Unabhängigkeit von weißer Kontrolle über ihre Kirchen und die Organisation ihres religiösen Lebens bedeutete.

In Raleigh, North Carolina, ließ eine Methodistengemeinde ihren einstigen Herren keine Zweifel über ihre Gründe, warum sie einen neuen freien schwarzen Weg gehen wollte. Ihre Auseinandersetzung mit den weißen Christen ist selbst eine Lektion in Religion und Politik. Die Mitglieder der *Wesley Chapel* sagten, sie seien entschlossen, ihre Bindung an die weiße *Southern Methodist* Kirche zu lösen, da für diese Kirche die «Fortführung der Sklaverei» ein Glaubenssatz sei und sie sich deshalb von den Methodisten der Nordstaaten abgespalten hätten. Darüber hinaus klagten sie ihre früheren religiösen Führer an, zur

Moreover, they accused their erstwhile religious leaders of having "taught rebellion" against the national government in order to maintain human bondage, *their* bondage. In the old time, they said, they had been compelled to put up with such corruption of the Gospel, such attacks on their integrity, but this was a new time. (...)

In other situations the struggle to define freedom was much more individual, eccentric, unique. For instance, in many places black folk simply assumed new forms of dress, the women wearing brighter colors than ever before, donning white gloves, carrying parasols, writing their own speeches of freedom in each formerly forbidden item of apparel, in each proud movement of their bodies. For their part, the men kept dogs and guns, hunted whenever they chose, traveled around the countryside without passes. Both men and women often refused to yield the sidewalks to white folks when they met. They omitted the long-standing and deeply understood obeisances and signs of inferior status. They rode horses or mules or drove carriages, taking the right of way from white pedestrians. They argued with white people, refusing any longer to say yes when they meant no. They met in public with any blacks they chose and with as many as they chose, at any hour and for as long as they chose. They changed their names. They made new demands on white people, based on their own sense of dignity and their new freedom to express it. (...)

Nor could any whites predict where this kind of localized black independence would find its next expression. Not even the most trusted of the old servants could be counted on any longer. In Wash-

« Rebellion » gegen die nationale Regierung « aufgerufen zu haben », um die Leibeigenschaft beizubehalten, *ihre* Leibeigenschaft. Damals, so sagten sie, seien sie gezwungen gewesen, diese Verfälschung des Evangeliums, in Wahrheit Angriffe auf ihre Würde, zu ertragen, aber nun sei eine neue Zeit angebrochen. (...)

In anderen Situationen war der Kampf um eine Definition der Freiheit noch eigenwilliger, ausgefallener und einzigartiger. Zum Beispiel zogen sich die Schwarzen da und dort einfach anders an, die Frauen kleideten sich in hellere Farben als früher, streiften sich weiße Handschuhe über und trugen Sonnenschirme; mit jedem vormals verbotenen Accessoire und jeder stolzen Bewegung ihrer Körper schrieben sie ihre eigenen Freiheitsreden. Die Männer wiederum hielten sich Hunde und besaßen Gewehre, gingen auf die Jagd, wann immer sie wollten, und reisten ohne Erlaubnisscheine über Land. Sowohl Männer als auch Frauen weigerten sich oftmals, Weißen auf Gehsteigen auszuweichen. Sie unterließen lang eingeübte und stillschweigend vorausgesetzte Ehrbezeugungen und verwarfen die Symbole eines niedrigeren Status. Sie ritten zu Pferde oder auf Eseln oder fuhren Kutsche und nahmen ihr Vorfahrtsrecht auch weißen Fußgängern gegenüber in Anspruch. Sie stritten mit Weißen und sagten nicht mehr ja, wenn sie nein meinten. In aller Öffentlichkeit und zu jeder Zeit trafen sie sich nach Belieben mit anderen Schwarzen; mit so vielen, wie sie wollten, versammelten sie sich so lange, wie sie wollten. Viele änderten ihre Namen. Den Weißen stellten sie neue Forderungen, die auf ihrem eigenen Ehrgefühl und ihrer neu errungenen Freiheit, diesem Ausdruck zu verleihen, gründeten. (...)

Weiße konnten nie vorhersagen, wo diese Art punktueller schwarzer Unabhängigkeit das nächste Mal zutage treten würde. Nicht einmal mehr auf diejenigen der alten Diener, denen man am meisten vertraut hatte, war Ver-

ington, Georgia, one young white woman complained to her diary that with the coming of freedom and the military occupation forces, several of the most dependable and apparently subservient black folk, among them house servants, had radically changed (or revealed) their character. Eliza Andrews cited one man who had been known to them all as kindly Uncle Lewis. Now, she reported, "Uncle Lewis, the pious, the honored, the venerated, gets his poor old head turned with false notions of freedom and independence, runs off to the Yankees with a pack of lies against his mistress, and sets up a claim to part of her land!"

There were many resurrections, many former cripples now rowing toward freedom, many "uncles" seeing visions of justice in the lands of their "nieces." But the price could be high, for almost every black act of assertion was seen by whites – in a sense, accurately – as "insubordination" and "insolence." White people knew that such spirit and action were dangerous to the world they were seeking to maintain, and wherever possible they attempted to contain the force, to break its assertive movement. In Savannah a delegation of black people from the surrounding rural areas called on Chief Justice Salmon Chase, who was making a Southern tour that spring, and complained that "their old masters were abusing them, were whipping those who said they thought they were free." (...)

The costs were familiar, but neither whippings nor torture nor death had ever stopped the black movement toward freedom, and they did not stop it now. Indeed, there was a spirit at work in this special year which could not be broken. One native

lass. Eine junge weiße Frau aus Washington, Georgia, klagte in ihrem Tagebuch, dass seit der Befreiung und der Militärbesetzung einige der verlässlichsten und scheinbar unterwürfigsten Schwarzen, darunter auch Hausdiener, ihren Charakter radikal verändert (oder: ihren wahren Charakter offenbart) hatten. Eliza Andrews erzählte von einem Mann, den sie alle nur als den freundlichen Onkel Lewis kannten. Jetzt, so berichtete sie, «wird dem frommen, verehrten und geachteten Onkel Lewis mit einer falschen Vorstellung von Freiheit und Unabhängigkeit der arme alte Kopf verdreht, und er rennt mit jeder Menge Lügen über seine Herrin zu den Yankees und fordert einen Teil ihres Landes.»

Viele erhoben sich, viele frühere Krüppel konnten jetzt ihre Freiheit erstreiten, viele «Onkel» hatten Visionen der Gerechtigkeit im Land ihrer «Nichten». Manche mussten einen hohen Preis dafür bezahlen, denn fast jeder schwarze Akt der Selbstbehauptung wurde von den Weißen – nicht ganz ohne Grund – als «Aufsässigkeit» oder «Frechheit» angesehen. Die Weißen wussten, dass solche Einstellungen und Handlungen für die Welt, die sie aufrechtzuerhalten suchten, eine Gefahr waren, und wo immer möglich versuchten sie, diese Kräfte zu bändigen und ihre Wucht zu brechen. In Savannah sprach eine Abordnung Schwarzer aus den umgebenden ländlichen Gegenden bei Oberrichter Salmon Chase vor, der in diesem Frühling durch die Südstaaten reiste; sie beklagten sich, dass «ihre alten Herrn sie missbrauchten und diejenigen auspeitschten, die sagten, sie hielten sich für befreit.»

Die Kosten [des Widerstands] waren bekannt, doch weder Auspeitschungen noch Folter noch der Tod hatten die schwarze Freiheitsbewegung je aufhalten können, und es gelang den Weißen auch jetzt nicht. In diesem besonderen Jahr war tatsächlich ein Geist am Werk, der nicht zu

white political leader in Alabama caught some of its character when he described the black reaction to the official announcement of freedom: "They were disposed ... to get into a drunken disposition – I use that expression in its literal sense – to assert their rights, thinking that such assertion was necessary to their maintenance." Inspired by what might well be called an intoxication with freedom, the black people would "rush right into a church, without any change having taken place, where the white people were sitting; not that they had no place to sit [i.e., the Negro pew], but simply to show their equality."

Of course a change *had* taken place, and because it had begun within them black people knew it, and knew that it was indeed necessary to assert – to demonstrate – their rights, if they were determined to maintain them. A quintessential example of this consciousness arose in the Laurens area of South Carolina where, once emancipation was official, a black woman named Patience Johnson was asked by her former mistress if she would remain with her and work for wages. As mistresses went, she was not bad, so there was reason for Patience to consider the request. But the young woman's response was simple: "No, Miss, I must go; if I stay here I'll never know I am free."

And yet it was not simple. Compressed in that one woman's words was the great power of the sweeping, explosive black movement of 1865, announcing that, beyond the laws and proclamations of others, black people themselves, through their own action of freedom,

brechen war. Ein aus Alabama gebürtiger weißer politischer Führer fing etwas von dieser Stimmung ein, als er die schwarze Reaktion auf die offizielle Ausrufung der Freiheit beschrieb: «Sie neigten dazu ... in einen Zustand der Trunkenheit zu geraten – ich verwende diesen Ausdruck in seinem wörtlichen Sinn. Sie machten ihre Rechte geltend, denn sie glaubten, dass sie diese Rechte nur so beibehalten würden.» Von etwas verleitet, das man einen Freiheitsrausch nennen könnte, «stürmten» die Schwarzen «plötzlich in eine Kirche, auf die Plätze der Weißen, ohne dass irgendeine Veränderung stattgefunden hätte; nicht, dass sie zuvor keinen Platz zum Sitzen gehabt hätten [die Negerbank], sondern einfach, um ihre Gleichheit zu demonstrieren.»

Eine Veränderung *hatte* natürlich stattgefunden, und da sie in ihrem eigenen Denken und Fühlen begonnen hatte, wussten die Schwarzen das, und sie wussten auch, dass es unbedingt nötig war, ihre Rechte – öffentlich – in Anspruch zu nehmen, wenn sie sie behalten wollten. Ein typisches Beispiel für dieses Bewusstsein kommt aus der Gegend von Laurens in South Carolina, wo eine schwarze Frau namens Patience Johnson nach dem Bekanntwerden der Befreiung von ihrer früheren Herrin gefragt wurde, ob sie bei ihr bleiben und gegen Lohn arbeiten würde. Da sie vergleichsweise keine schlechte Herrin war, lag es für Patience nahe, die Bitte in Erwägung zu ziehen. Aber die Antwort der jungen Frau lautete ganz einfach: «Nein Miss, ich muss gehen; wenn ich bleibe, werde ich nie und nimmer wissen, dass ich frei bin.»

So schlicht war diese Antwort nicht. In den Worten dieser Frau kommt die große Kraft der umfassenden und explosiven schwarzen Bewegung von 1865 verdichtet zum Ausdruck: Die Schwarzen konnten sich nicht auf Gesetze und Verkündigungen anderer verlassen, sie mussten durch ihr eigenes Handeln in Freiheit nicht nur der Emanzipa-

must not only shape their emancipation but also develop some fundamental self-knowledge, some palpable assurance of their freedom, upon which all else would have to be built. So Patience left, as so many had left and would leave, risking the dangers of freedom – dangers which were more than psychological, as the white community organized itself to hold its black work force (...) in place.

Who knew all this and appreciated it more than Sojourner Truth? That sturdy, seasoned walker into freedom, creator of liberty, was still on the road in the year of change, asserting the transformation which had begun in her own life decades before. During the latter part of the war she had come to Arlington, Virginia, just outside Washington, D.C., to work among the newly freed black community, inspiring them with her indomitable spirit, ministering to their material needs. In the late winter of 1965, when Congress finally passed a bill prohibiting segregation on all the District's horsecar lines, Sojourner knew that rights must be tested, fought for, seized, and defined through struggle. Out on the street, one spring day, she tried to flag down one of the horsecars. One passed and refused to stop. Another went by, with the driver ignoring her long, waving arms. At that point, according to her biographer, Sojourner "gave three tremendous yelps," shouting, "I want to ride! I want to ride! *I want to ride!!*" Her shouts and vivid gestures drew a crowd that made it impossible for the next car to go by without stopping. Then, when Sojourner Truth got on and took her seat with the other passengers, the conductor told her that either she would ride outside on the front platform directly behind the horses,

tion ihre Form geben, sondern auch eine Art grundlegende Selbstkenntnis entwickeln und sich der Freiheit spürbar versichern, denn darauf würde alles andere aufbauen. Deshalb ging Patience fort, wie so viele vor ihr gegangen waren und nach ihr gehen würden; sie alle nahmen die Gefahren der Freiheit in Kauf – und die waren mehr als nur psychischer Druck, denn die weiße Gemeinschaft tat alles, um ihre schwarzen Arbeitskräfte (...) zu behalten.

Wer könnte das besser wissen und würdigen als Sojourner Truth? Die erfahrene Wegbereiterin der Freiheit ging unbeirrbar ihren Weg in die Freiheit – in diesem Jahr des Wechsels war sie immer noch unterwegs und setzte sich für eine Umgestaltung ein, die in ihrem eigenen Leben vor Jahrzehnten begonnen hatte. In der Endzeit des Krieges war sie nach Arlington, Virginia, im Umland von Washington D.C. gekommen, um in der soeben befreiten schwarzen Gemeinschaft zu arbeiten. Sie flößte mit ihrem unbesiegbaren Geist den Menschen Mut ein und kümmerte sich auch um ihre materiellen Bedürfnisse. Als der Kongress Ende Winter 1865 endlich ein Gesetz gegen die Rassentrennung auf allen Kutschenlinien des District [of Columbia] erließ, war es für Sojourner Truth klar, dass ein Recht durch Kampf erprobt, erfochten, ergriffen und festgemacht werden muss. An einem Frühlingstag versuchte sie, eine Kutsche auf der Straße anzuhalten. Die erste, die vorbeikam, weigerte sich anzuhalten. Der Fahrer der nächsten achtete nicht auf das Winken ihrer langen Arme. Ihrem Biographen zufolge «stieß» Sojourner dann «drei gewaltige Schreie aus». Sie rief «Ich will mitfahren! Ich will mitfahren! *Ich will mitfahren!!*» Ihre Schreie und lebhaften Gesten zogen eine so große Menge an, dass es für den nächsten Wagen unmöglich war, vorbeizufahren ohne anzuhalten. Als Sojourner Truth dann zugestiegen war und ihren Platz bei den anderen Passagieren eingenommen hatte, sagte ihr der Fahrer, sie müsse entweder draußen auf der vorderen Plattform

or he would throw her off. Probably the man did not know to whom he was talking, and the powerful Truth remained firmly in her seat. Indeed, to make her point, she stayed on beyond her stop. Finally, she left the car and said joyfully, "Bless God! I have had a ride." In addition, later she had the conductor arrested, caused him to lose his job, and did much to establish the right of blacks to ride all the horsecars in the nation's capital. It was, to be sure, quite a ride.

direkt hinter den Pferden mitfahren oder er würde sie rauswerfen. Wahrscheinlich wusste der Mann nicht, mit wem er sprach. Die starke Truth blieb eisern auf ihrem Platz. Und um es gründlich zu machen, fuhr sie noch über ihre Haltestelle hinaus mit. Schließlich stieg sie aus und sagte voll Freude: «Gütiger Gott! Ich bin mitgefahren!» Später ließ sie den Fahrer auch noch festnehmen und erreichte, dass er seine Arbeit verlor. Sie bewirkte viel für das Recht der Schwarzen, alle Kutschen der Bundeshauptstadt zu nutzen. Es war eine Fahrt, die sich gelohnt hatte.

Grace Elizabeth Hale: The Genealogy of Lynchings as Modern Spectacle

Despite the roots of an expanding consumer culture outside the South, white southerners made an important contribution to the rapidly evolving forms of leisure in twentieth-century America: they modernized and perfected violence, in the form of the spectator lynching, as entertainment, as what Du Bois had chillingly described as a new and yet grisly form of white southern amusement. And like all cultural forms, over time lynching spectacles evolved a well-known structure, a sequence and pace of events that southerners came to understand as standard. The well-choreographed spectacle opened with a chase or a jail attack, followed rapidly by the public identification of the captured African American by the alleged white victim or the victim's relatives, announcement of the upcoming event to draw the crowd, and selection and preparation of the site. The main event then began with a period of mutilation – often including emasculation – and torture to extract confessions and entertain the crowd, and built to a climax of slow burning, hanging, and /or shooting to complete the killing. The finale consisted of frenzied souvenir gathering and display of the body and the collected parts. (...)

Newspaper reporters and men around the stove at the crossroads store, telegraph operators and women at the local meeting of the United Daughters of the Confederacy, law "enforcement" officials and trainmen who

Grace Elizabeth Hale: Das Lynchen als modernes Spektakel

Auch wenn die Wurzeln der sich ausbreitenden Konsumkultur außerhalb der Südstaaten zu suchen sind, leisteten die weißen Südstaatler doch einen wichtigen Beitrag zu den sich im 20. Jahrhundert schnell wandelnden Formen der Freizeitgestaltung in Amerika: Mit dem Lynchen vor Publikum als Unterhaltung modernisierten und perfektionierten sie die Gewalt, sie schufen, was Du Bois voll Abscheu als eine neue und grausame Art der Belustigung weißer Südstaatler bezeichnete. Und wie alle kulturellen Formen entwickelten die Lynchspektakel ein bekanntes Grundmuster für Ablauf und Tempo der Ereignisse, das von den Südstaatlern mit der Zeit als normal empfunden wurde. Das durchinszenierte Spektakel begann mit einer Verfolgungsjagd oder einem Angriff im Gefängnis, dann kamen in schneller Abfolge die öffentliche Identifikation des gefassten Afro-Amerikaners durch sein angebliches weißes Opfer oder durch Angehörige des Opfers, eine Ankündigung des bevorstehenden Ereignisses, um die Massen anzulocken, und die Auswahl sowie Vorbereitung des Ortes. Das Hauptereignis begann dann mit einem Akt der Verstümmelung – oft einschließlich Entmannung – und Folter, um Geständnisse zu erpressen und die Menge zu unterhalten, und steigerte sich zum Höhepunkt des endgültigen Todes durch langsames Verbrennen, Erhängen und /oder Erschießen. Das Finale bestand aus einer wilden Jagd nach Souvenirs und der Zurschaustellung der Leiche oder ihrer gesammelten Einzelteile. (...)

Zeitungsreporter und um den Ofen gescharte Männer im Laden an der Kreuzung, Telephonistinnen, Frauen von den Ortsverbänden der *Vereinten Töchter der Konföderation*, Polizisten als «Hüter» von Recht und Ordnung sowie Schaffner, die an jeder Station vom Zug sprangen, um

jumped from the car to tell the news at each stop – all helped shape the stories of specific events into a dominant narrative of southern spectacle lynchings that evolved in the decades between 1890 and 1940. But widely circulated newspaper stories (...) were central to the power of these new "amusements." While thousands of white southerners witnessed and participated in lynchings as the twentieth century unfolded, the majority of Americans – white and black, northern and southern – learned about these events from newspapers and to a lesser extent books, pamphlets, and radio announcements. In many cases these accounts were written by reporters who personally witnessed the spectacle, but the experience for their readers or listeners was mediated, a representation at least once removed from actual involvement. And even those spectators who attended the lynching or later viewed the body or examined a display of "souvenirs" were affected as well by the narratives constructed by reporters to describe and explain these events. Beginning in the 1890s, no matter the specific characteristics, representations of spectacle lynchings increasingly fell into a ritualistic pattern as the narratives constructed by witnesses, participants, and journalists assumed a standardized form. Spectacle lynchings, then, became more powerful even as they occurred less frequently because the rapidly multiplying stories of these public tortures became virtually interchangeable.

Thus the modernization of the practice – the incorporation of cars and trains, radios, phones, and cameras – matched the standardization of the representations. As a dominant narrative evolved

die Neuigkeiten zu verkünden, – sie alle trugen dazu bei, dass sich aus der Geschichte von Einzelfällen ein vorherrschendes Erzählmuster der Lynchspektakel in den Südstaaten herausbildete, das sich in den Jahrzehnten von 1890 bis 1940 immer weiterentwickelte. Aber entscheidend für die große Wirkung dieser neuen «Belustigungen» waren die weitverbreiteten Zeitungsberichte. (...) Während im beginnenden 20. Jahrhundert Tausende weißer Südstaatler ein Lynchen miterlebten oder aktiv an einem teilnahmen, erfuhr die Mehrheit der Amerikaner – weiß und schwarz, aus dem Norden und aus dem Süden – von diesen Ereignissen durch Zeitungen und in geringerem Umfang durch Bücher, Flugblätter und Radioankündigungen. In vielen Fällen wurden diese Berichte von Reportern verfasst, die Augenzeugen gewesen waren, aber für ihre Leser und Zuhörer handelte es sich nicht um eine unmittelbare Erfahrung, die Darstellung war zumindest eine Ebene von der eigenen Teilnahme entfernt. Und selbst die Zuschauer, die bei einem Lynchen zugegen waren, später die Leiche besichtigten oder sich eine Ausstellung von «Souvenirs» anschauten, standen unter dem Einfluss der Geschichten, die von Reportern zur Beschreibung und Erklärung des Ereignisses verfasst wurden. Von den 1890er Jahren an folgte die Darstellung von Lynchspektakeln, egal was ihre besonderen Merkmale waren, zunehmend einem ritualisierten Muster, die Berichte von Augenzeugen, Teilnehmern und Journalisten nahmen eine standardisierte Form an. Während die Lynchen als solche seltener wurden, wurden die Lynchspektakel dank den sich schnell ausbreitenden und so gut wie austauschbaren Geschichten von öffentlicher Folter um so wirkungsvoller.

So ging die Modernisierung der Lynch-Praxis – durch die Einbeziehung von Auto und Eisenbahn, Radio, Telefon und Fotografie – mit der Standardisierung ihrer Darstellung Hand in Hand. Durch die Weiterentwicklung und Verbrei-

and circulated more widely, innovations added in a particular lynching were easily spotted and picked up by subsequent mobs. The grisly dialectic began in the 1890s as newspaper coverage grew, crowds increased, and lynch mobs adapted the rituals of public executions to the needs of vigilantism and racial control. As James Elbert Cutler found in the first academic investigation of lynchings, published in 1905, before 1890 magazines ignored the subject entirely while local newspapers printed small, sparse accounts.

Three events in the early 1890s, however, initiated the early development of spectacle lynchings as practice and as narrative. First, the lynching on March 14, 1891, of eleven Italian immigrants accused of aiding in the murder of the New Orleans police chief brought international attention to mob murder in the South as the Italian government condemned the action and demanded indemnities. Before the fervor over these murders had faded, another public lynching in Louisiana occurred: a large crowd of whites tortured and burned an African American named Tump Hampton in St. Tammany Parish on May 30 of the same year. Significantly, publicity generated by the Italians' murder spilled over in this case onto the lynching of a black southerner. The founding event in the history of spectacle lynchings, however, was the final murder in the gruesome triad, the 1893 lynching of Henry Smith in Paris, Texas, for the alleged rape and murder of three-year old Myrtle Vance.

The 1893 murder of Smith was the first blatantly public, actively promoted lynching of a

tung des erzählerischen Grundmusters konnten Neuerungen, die bei dem einen oder anderen Lynchen dazukamen, leicht erkannt und vom Pöbel bei nächster Gelegenheit aufgegriffen werden. Diese schaurige Dialektik begann in der 1890er Jahren, als die Medienberichterstattung zunahm, die Zuschauermengen wuchsen und der Lynch-Mob die Rituale der öffentlichen Exekution den Bedürfnissen der wachsamen Rassenpuristen anpasste. Wie James Elbert Cutler in der ersten, 1905 veröffentlichten wissenschaftlichen Untersuchung der Lynchen ermittelte, mieden die Zeitschriften das Thema vor 1890 völlig, nur örtliche Zeitungen brachten kurze und knappe Berichte.

Aber Anfang der 1890er Jahre lösten drei Ereignisse eine erste Entwicklung der Lynchspektakel aus, sowohl als Praxis wie auch als Erzählmuster. Das erste war der Lynchmord an elf italienischen Einwanderern vom 14. März 1891, die der Beihilfe zum Mord am Polizeichef von New Orleans beschuldigt wurden. Der Protest der italienischen Regierung und ihre Schadensersatzforderung lenkte die internationale Aufmerksamkeit auf die Mob-Morde in den Südstaaten. Noch bevor der Zorn über diese Morde verraucht war, geschah ein weiteres Lynchen in Louisiana: Am 30. Mai des selben Jahres folterte und verbrannte eine große Menge von Weißen einen Afro-Amerikaner namens Tump Hampton in der Gemeinde St. Tammany. Bemerkenswerterweise übertrug sich die von den Morden an den Italienern erzeugte Publizität auf diesen Fall der Lynchjustiz an einem schwarzen Südstaatler. Das eigentliche Gründungsereignis in der Geschichte der Lynchspektakel war jedoch das letzte dieser grausamen drei, nämlich der Lynchmord an Henry Smith in Paris, Texas, 1893 für die angebliche Vergewaltigung und Ermordung der drei Jahre alten Myrtle Vance.

Der Mord an Smith im Jahre 1893 war das erste unverfroren öffentliche, aktiv beworbene Lynchen eines Schwar-

southern black by a large crowd of southern whites. Adding three key features – the specially chartered excursion train, the publicly sold photograph, and the widely circulated, unabashed retelling of the event by one of the lynchers – the killing of Smith modernized and made more powerful the loosely organized, more spontaneous practice of lynching that had previously prevailed. In what one commentator aptly termed a "neglected feature of railroading," from 1893 on railroad companies could be counted on to arrange special trains to transport spectators and lynchers to previously announced lynching sites. On some occasions these trains were actually advertised in local papers; with railroad passenger service, even small towns could turn out large crowds. Even after automobiles cut into the railroads' "lynch carnival" business, a 1938 commentator found that modern trainmen, schooled in the doctrine of service," helped "in an informative way" by relaying news of upcoming lynchings to train passengers and townspeople "all along the rail lines."

As crucial as the innovation in transportation, however, was the publication, after Henry Smith's lynching, of the first full account, from the discovery of the alleged crime to the frenzied souvenir gathering at the end: *The Facts in the Case of the Horrible Murder of Little Myrtle Vance, and Its Fearful Expiation, at Paris, Texas, February 1, 1893*. This widely distributed pamphlet is perhaps the most detailed account of a lynching ever written from a lyncher's point of view. It included a photograph of

zen aus den Südstaaten durch eine große Menge weißer Südstaatler. Dank drei neuen Schlüsselaspekten – dem für den Anlass bereitgestellten Ausflugszug, die öffentlich verkauften Fotos, und die weithin kursierende, schamlose Schilderung des Ereignisses durch einen der Lyncher – modernisierte die Tötung von Henry Smith die lose organisierte, spontane Praxis des Lynchens, wie sie zuvor verbreitet gewesen war, und verlieh ihr größere Wirkung. In bezug auf «diesen vernachlässigten Aspekt des Eisenbahnwesens» – nach der treffenden Formulierung eines Kommentators – konnte man sich ab 1893 darauf verlassen, dass die Eisenbahngesellschaften zu den zuvor angekündigten Orten eines Lynchens Sonderzüge für Zuschauer und Lyncher organisierten. Manchmal gab es in örtlichen Zeitungen sogar Anzeigen für diese Züge; dank diesen Angeboten der Eisenbahnen konnten selbst kleine Städte mit großen Zuschauermengen rechnen. Und auch nachdem das Automobil ins «Lynch-Karneval»-Geschäft der Eisenbahnen eingebrochen war, stellte ein Kommentator von 1938 fest, dass «die modernen, in Dienstleistung geschulten Schaffner» die Nachricht der nächsten Lynch-Veranstaltungen an die Zugreisenden und die Städter «entlang der ganzen Zuglinien» weiterleiteten und so zumindest «als Informanten» von Nutzen waren.

Genauso wichtig wie die Neuerungen auf dem Gebiet des Transports war nach dem Lynch-Mord an Henry Smith die Publikation des ersten vollständigen Berichts von der Entdeckung des angeblichen Verbrechens hin bis zur wilden Souvenirjagd am Ende: *Die Tatsachen des Falles der schrecklichen Ermordung der kleinen Myrtle Vance und der furchterregende Sühneakt in Paris, Texas, am 1. Februar 1893*. Dieses weit verbreitete Pamphlet ist vielleicht der detaillierteste Bericht von einem Lynchen, der je aus der Perspektive eines Lynchers geschrieben wurde. Er enthielt ein Foto von Smiths Folter, das wahrscheinlich auch ein-

Smith's torture, probably also sold separately. This pamphlet initiated a new genre of lynching narrative, the author as eyewitness and in this case also participant.

More important, however, this anonymous lyncher as reporter implicated the entire white community in the public torture and murder that had recently occurred: "From the first it was a clear case of temporary insanity of a whole populace, the moral and social shock for the time eclipsing every vestige of temperance in dealing with the culprit." And "populace" did not mean simply white men. Though the photographer focused on the scaffold, emblazoned with a large sign that proclaimed "JUSTICE," on which Smith was being tortured, the size of the crowd prevented him from getting very close to the action. The shot, more a picture of the mob than the mob's victim, depicts a mass of spectators including white women and children. From the earliest spectacle lynchings, then, white women actively participated in these events as more than the passive alleged victims that fueled white men's fury. The story of lynching as the entire white community in action, using savagery to protect "Southern" civilization, was born.

But even in 1893 there was another if extremely vulnerable space from which to narrate these events. In March of 1892 Ida B. Wells lived through the lynchings of three of her closest friends – Thomas Moss, Calvin McDowell, and Henry Stewart, the African American owners of a new and successful enterprise where the streetcar turned on the outskirts of Memphis, the People's Grocery Company of the colored suburb of the

zeln verkauft wurde. Dieses Pamphlet begründete ein neues Genre der Lynchberichterstattung: Der Autor war Augenzeuge und in diesen Fall auch Teilnehmer.

Das eigentlich Wichtige daran ist dies: Der anonyme Lyncher stellte das Ereignis so dar, dass die ganze weiße Gesellschaft in die öffentliche Folter und den soeben geschehenen Mord verwickelt war: «Von Anfang an war es ein klarer Fall zeitweiligen Wahnsinns der ganzen Bevölkerung; der moralische und soziale Schock ließ für einen Moment jegliche Spur der Mäßigung im Umgang mit dem Schuldigen verschwinden.» Und «Bevölkerung» hieß nicht einfach weiße Männer. Auch wenn der Photograph sein Objektiv auf das mit der Parole «GERECHTIGKEIT» geschmückte Schafott gerichtet hatte, auf dem Smith hingerichtet wurde, verhinderte die Größe der Menge doch, dass er sehr nah an das Zentrum des Geschehens herankam. Die Aufnahme, eher ein Bild des Mobs als seines Opfers, zeigt eine riesige Menge von Zuschauern einschließlich weißer Frauen und Kinder. Weiße Frauen nahmen demnach von Anfang an aktiv an den Lynchspektakel teil, sie brachten nicht nur als die angeblich passiven Opfer [von Vergewaltigung und Mord] die Wut der weißen Männer zum Lodern. So entstand diese Geschichte vom Lynchen, bei dem die ganze weiße Gemeinschaft in Aktion trat, um mit wilder Grausamkeit die Zivilisation der Südstaaten zu schützen.

Aber schon 1893 gab es einen anderen, wenn auch äußerst verwundbaren Standpunkt, von dem aus diese Ereignisse berichtet und kommentiert wurden. Im März 1892 erlebte Ida B. Wells den Lynchmord an dreien ihrer engsten Freunde, Thomas Moss, Calvin McDowell und Henry Stewart, den afro-amerikanischen Besitzern eines jungen erfolgreichen Unternehmens an der Straßenbahnendhaltestelle am Stadtrand von Memphis, der *People's Grocery Company* in der farbigen Vorstadt der Curve. Ein Streit zwischen weißen und schwarzen Jungen um ein Murmel-

Curve. A quarrel between white and black boys over a game of marbles had escalated into a fight between white and black grocers. The black grocers were arrested. Then a white mob let in by law officers took the three men from their cells, loaded them on a switch engine that ran on a track behind the jail, drove them north of the city limits of sleeping Memphis, and shot them to death. Though no spectators witnessed the event, the good citizens of Memphis were not forgotten, for somehow one of the morning papers knew enough to hold up its edition and subscribers were able to read the details of the murders as they sipped a late cup of coffee.

Ida B. Wells, however, also owned a paper. And as a white mob helped itself to food and drink at the People's Grocery, her *Memphis Free Speech* attempted to set the record straight. Over the next three months the paper agitated against the violence and told African Americans to leave a city in which they could get no justice. Wells was convinced that her friends had been lynched because the success of their business hurt the Curve's other grocery, a white-owned establishment. She began a closer investigation of the lynchings, which had been only briefly recorded in the local and regional white papers. In late May 1892, she editorialized:

"Eight Negroes lynched since the last issue of the *Free Speech*. Three were charged with killing white men and five with raping white women. Nobody in this section believes the old thread-bare lie that Negro men assault white women." (...)

Out of town at a convention, Wells escaped her own lynching, but Memphis whites silenced her

spiel hatte sich zum Kampf zwischen weißen und schwarzen Lebensmittelhändlern aufgeschaukelt. Die schwarzen Händler wurden festgenommen. Dann holte der weiße Pöbel, vom Gefängnispersonal eingelassen, die drei Männer aus ihren Zellen, verlud sie auf eine Rangierlok, deren Gleis hinter dem Gefängnis verlief, fuhr sie in den Norden außerhalb der Stadtgrenzen des schlafenden Memphis und erschoss sie. Wenn auch keine Zuschauer bei dem Ereignis zugegen waren, hatte man die guten Bürger von Memphis doch nicht vergessen, denn irgendwie wusste eine Morgenzeitung von Memphis ausreichend Bescheid, um ihre Ausgabe zurückzuhalten, und die Abonnenten konnten, während sie an einer späten Tasse Kaffee nippten, die Details des Mordes lesen.

Ida B. Wells besaß jedoch ebenfalls eine Zeitung. Und als der weiße Mob sich bei der *People's Grocery* mit Speis und Trank selbst bediente, versuchte ihre *Memphis Free Speech* die Tatsachen klarzustellen. Während der nächsten drei Monate machte sich die Zeitung gegen die Gewalt stark und riet Afro-Amerikanern, diese Stadt, in der sie keine Gerechtigkeit finden konnten, zu verlassen. Ida B. Wells war davon überzeugt, dass ihre Freunde gelyncht worden waren, weil der Erfolg ihres Ladens das andere Lebensmittelgeschäft in der Curve, das im Besitz von Weißen war, beeinträchtigte. Sie begann eine genauere Untersuchung der Lynchen, von denen nur kurz in den örtlichen und regionalen Zeitungen der Weißen berichtet worden war. Im späten Mai 1892 schrieb sie in einem Leitartikel:

«Seit der letzten Ausgabe der *Free Speech* wurden acht Neger gelyncht. Dreien wurde die Ermordung weißer Männer vorgeworfen, fünfen die Vergewaltigung weißer Frauen. Niemand in dieser Stadt glaubt an die fadenscheinige Lüge, dass Neger weiße Frauen angreifen.» (...)

Ida B. Wells entkam ihrem eigenen Lynchen, weil sie wegen einer Tagung auswärts war, aber ihre Stimme im

southern voice as effectively. In a flurry of city elite-led speech making, marching, and threatening, the *Free Speech's* office and type were destroyed. By 1893, however, when Henry Smith was lynched for the alleged rape and murder of "Little Myrtle Vance," Wells had already started her campaign to expose the fallacy of the rape myth as a justification for lynching from her new position at the *New York Age*.

Lynching as practice and as story – the newspaper narratives that reported and even created racial violence in the region – never went unchallenged, then, by African Americans and a few brave liberal and radical whites. In fact, even as the dominant narrative of spectacle lynchings developed, anti-lynching activists worked to subvert the story, believing that by exposing the false accounts of events and empty justifications, they would expose the immorality and end the violence.

Süden wurde von den Weißen aus Memphis ebenso wirksam zum Schweigen gebracht. In einem von der Prominenz der Stadt organisierten Hagel von Reden, Aufmärschen und Drohungen wurden das Büro und die Druckerei der *Free Speech* zerstört. Als Henry Smith 1893 für die angebliche Vergewaltigung und Ermordung von der «kleinen Myrtle Vance» gelyncht wurde, hatte Ida B. Wells schon von ihrer neuen Stellung beim *New York Age* aus eine Kampagne in Gang gebracht, um die abwegige Rechtfertigung des Lynchens durch den Vergewaltigungsmythos bloßzustellen.

Das Lynchen wurde also weder als Praxis noch als Schilderung – in Form von Zeitungsartikeln, die von rassistischer Gewalt in der Gegend handelten und solche Gewalt mit hervorbrachten – von Afro-Amerikanern und ein paar mutigen liberalen und redlichen Weißen unkritisch hingenommen. Schon als sich das vorherrschende Erzählmuster der Lynchspektakel noch entwickelte, arbeiteten Anti-Lynch-Aktivisten daran, diese Geschichten zu entkräften; sie glaubten, dass sie durch das Aufdecken falscher Sachdarstellungen und haltloser Rechtfertigungen die Verlogenheit sichtbar machen und die Gewalt beenden könnten.

Angela Y. Davis: Sexuality and Freedom – the Very Theme of the Blues

Like most forms of popular music, African-American blues lyrics talk about love. What is distinctive about the blues, however, particularly in relation to other American popular musical forms of the 1920s and 1930s, is their intellectual independence and representational freedom. One of the most obvious ways in which blues lyrics deviated from that era's established popular musical culture was their provocative and pervasive sexual – including homosexual – imagery.

By contrast, the popular song formulas of the period demanded saccharine and idealized nonsexual depictions of heterosexual love relationships. Those aspects of lived love relationships that were not compatible with the dominant, etherealized ideology of love – such as extramarital relationships, domestic violence, and the ephemerality of many sexual partnerships – were largely banished from the established popular musical culture. Yet these very themes pervade the blues. What is even more striking is the fact that initially the professional performers of this music – the most widely heard individual purveyors of the blues – were women. Bessie Smith earned the title "Empress of the Blues" not least through the sale of three-quarters of a million copies of her first record.

The historical context within which the blues developed a tradition of openly addressing both female and male sexuality reveals an ideological framework that was specifically African-American. Emerging during the decades following the abolition of slavery, the blues gave musical expression to the new

Angela Y. Davis: Sexualität und Freiheit – das Hauptthema des Blues

Wie die meisten Formen von Volksmusik sprechen auch afro-amerikanische Bluestexte von der Liebe. Was den Blues jedoch auszeichnet, besonders im Vergleich mit anderer amerikanischer populärer Musik der 1920er und 30er Jahre, ist seine intellektuelle Unabhängigkeit und darstellerische Freiheit. Eine der deutlichsten Abweichungen von der etablierten zeitgenössischen populären Musikkultur war die provozierende und weitverbreitete sexuelle – auch homosexuelle – Metaphorik der Bluestexte.

Ganz anders die damaligen Schemata für das populäre Lied. Hier wurden süßliche und idealisierte keusche Darstellungen heterosexueller Liebesbeziehungen verlangt. Aspekte gelebter Liebesbeziehungen, die nicht in die herrschende Ideologie hochstilisierter Liebe passten, wie außereheliche Beziehungen, häusliche Gewalt und die Kurzlebigkeit vieler Sexualpartnerschaften, kamen in der etablierten populären Musikkultur im großen und ganzen nicht vor. Von genau diesen Themen ist jedoch der Blues durchzogen. Besonders bemerkenswert ist, dass die ersten Berufsmusiker, die meistgehörten großen Pioniere des Blues, Frauen waren. Nicht zuletzt durch den Verkauf von einer dreiviertel Million ihrer ersten Platte verdiente sich Bessie Smith den Titel «Kaiserin des Blues».

Die historischen Umstände, unter denen sich die Tradition einer freizügigen Darstellung weiblicher und männlicher Sexualität im Blues herausbildete, lassen einen ideologischen Hintergrund erkennen, der typisch afro-amerikanisch ist. Während seiner Entstehung in den auf die Abschaffung der Sklaverei folgenden Jahrzehnten brachte der Blues die neuen Verhältnisse zum

social and sexual realities encountered by African Americans as free women and men. The former slaves' economic status had not undergone a radical transformation – they were no less impoverished than they had been during slavery. It was the status of their personal relationships that was revolutionalized. For the first time in the history of the African presence in North America, masses of black women and men were in a position to make autonomous decisions regarding the sexual partnerships into which they entered. Sexuality thus was one of the most tangible domains in which emancipation was acted upon and through which its meanings were expressed. Sovereignty in sexual matters marked an important divide between life during slavery and life after emancipation.

Themes of individual sexual love rarely appear in the musical forms produced during slavery. Whatever the reasons for this – and it may have been due to the slave system's economic management of procreation, which did not tolerate and often severely punished the public exhibition of self-initiated sexual relationships – I am interested here in the disparity between the individualistic, "private" nature of sexuality and the collective forms and nature of the music that was produced and performed during slavery. Sexuality after emancipation could not be adequately expressed or addressed through the musical forms existing under slavery. The spirituals and the work songs confirm that the individual concerns of black people expressed through music during slavery centered on a collective desire for an end to the system that enslaved them. This does not mean there was an

Ausdruck, mit denen sich die Afro-Amerikaner als nunmehr freie Frauen und Männer in der Gesellschaft und im Bereich der Sexualität auseinanderzusetzen hatten. Die ökonomische Situation der einstigen Sklaven hatte sich nicht grundsätzlich verändert – sie lebten nicht weniger ärmlich als während der Sklaverei. Was revolutioniert worden war, das waren ihre persönlichen Beziehungen. Zum ersten Mal in der Geschichte der afrikanischen Präsenz in Nordamerika war eine Vielzahl schwarzer Frauen und Männer in der Lage, über die Sexualpartnerschaften, die sie eingingen, eigenständig zu entscheiden. Darum war die Sexualität ein Gebiet, auf dem die Befreiung besonders spürbar war und am besten zum Ausdruck gebracht werden konnte. Die Selbstbestimmung in bezug auf die Sexualität bezeichnet einen wesentlichen Einschnitt zwischen dem Leben während der Sklaverei und dem Leben nach der Befreiung.

Themen individueller sexueller Liebe tauchen in den während der Sklaverei entstandenen musikalischen Formen selten auf. Unabhängig von dem Grund dafür – möglicherweise war es die im Sklavensystem an wirtschaftlichen Erwägungen orientierte Planung der Fortpflanzung, die die öffentliche Zurschaustellung eigenmächtig eingegangener Sexualpartnerschaften nicht duldete und hart bestrafte – interessiert mich die Unvereinbarkeit der von Natur aus individualistischen «privaten» Sexualität mit dem Kollektivcharakter der Musik, die während der Sklaverei geschaffen und gespielt wurde. Mit den Musikformen der Sklavenzeit konnte das Thema Sexualität nach der Befreiung nicht angemessen ausgedrückt oder vorgebracht werden. Die Spirituals und die Arbeitslieder machen deutlich, dass die individuellen Wünsche, die während der Sklaverei in der Musik der Schwarzen zum Ausdruck kamen, sich im gemeinsamen Verlangen nach dem Ende des Systems, das sie versklavte, zusammenfanden. Das heißt nicht, dass

absence of sexual meanings in the music produced by African-American slaves. It means that slave music – both religious and secular – was quintessentially collective music. It was collectively performed and it gave expression to the community's yearning for freedom.

The blues, on the other hand, the predominant postslavery African-American musical form, articulated a new valuation of individual emotional needs and desires. The birth of the blues was aesthetic evidence of new psychosocial realities within the black population. This music was presented by individuals singing alone, accompanying themselves on such instruments as the banjo or guitar. The blues therefore marked the advent of a popular culture of performance, with the borders of performer and audience becoming increasingly differentiated. Through the emergence of the professional blues singer – a predominantly female figure accompanied by small and large instrumental ensembles – as part of the rise of the black entertainment industry, this individualized mode of presenting popular music crystallized into a performance culture that has had an enduring influence on African-American music.

The spirituals, as they survived and were transformed during the post-slavery era, were both intensely religious and the aesthetic bearers of the slaves' collective aspirations for worldly freedom. Under changed historical circumstances in which former slaves had closer contact with the religious practices and ideologies of the dominant culture, sacred music began to be increasingly enclosed within institutionalized religious spaces. Slave religious practices were inseparable from other aspects of everyday life – work, family, sabotage, escape.

der von afro-amerikanischen Sklaven geschaffenen Musik sexuelle Inhalte fehlten. Es bedeutet, dass Sklavenmusik sowohl eine religiöse als auch eine weltliche, vor allem gemeinschaftliche Musik war. Sie wurde gemeinschaftlich gespielt und brachte die Freiheitssehnsucht der Gemeinschaft zum Ausdruck.

Der Blues hingegen, die nach der Sklaverei vorherrschende afro-amerikanische Musikform, zeigt eine Neubewertung individueller emotionaler Bedürfnisse und Wünsche. Die Geburt des Blues ist der ästhetische Ausdruck der neuen psychosozialen Gegebenheiten innerhalb der schwarzen Bevölkerung. Diese Musik wurde von Solosängern vorgetragen, die sich mit Instrumenten wie Banjos oder Gitarren selbst begleiteten. Mit dem Blues entstand so eine neue populäre Aufführungskultur, mit zunehmender Abgrenzung zwischen Künstler und Publikum. Der berufsmäßige Bluessänger – meist war es eine Frau, die von einem kleinen oder großen Ensemble begleitet wurde – bildete sich im Rahmen des Aufstiegs der schwarzen Unterhaltungsindustrie heraus. Dadurch verfestigte sich diese individuelle Art, populäre Musik darzubieten, zu einer Aufführungskultur, die einen dauerhaften Einfluss auf die afro-amerikanische Musik hatte.

Die Spirituals, soweit sie uns nach ihrem Wandel in der Zeit nach der Sklaverei überliefert sind, waren einerseits zutiefst religiös und fungierten andererseits als ästhetische Träger der gemeinsamen Hoffnung der Sklaven auf weltliche Freiheit. Als die ehemaligen Sklaven durch die veränderten historischen Umstände häufiger mit den religiösen Praktiken und Ideologien der herrschenden Kultur in Kontakt kamen, verwiesen sie die Sakralmusik zunehmend in den Raum institutionalisierter Religion. Die religiösen Praktiken der Sklaven waren nicht von anderen Aspekten ihres Alltags – Arbeit, Familie, Sabotage und Flucht – zu trennen gewesen. Nach der Sklaverei verlor

Postslavery religion gradually lost some of this fluidity and came to be dependent on the church. As sacred music evolved from spirituals to gospel, it increasingly concentrated on the hereafter. (...)

The blues rose to become the most prominent secular genre in early twentieth-century black American music. As it came to displace sacred music in the everyday lives of black people, it both reflected and helped to construct a new black consciousness. This consciousness interpreted God as the opposite of the Devil, religion as the not-secular, and the secular as largely sexual. With the blues came the designations "God's music" and "the Devil's music." The former was performed in church – although it could also accompany work – while the latter was performed in jook joints, circuses, and traveling shows. Despite the new salience of this binary opposition in the everyday lives of black people, it is important to underscore the close relationship between the old music and the new. The new music had old roots, and the old music reflected a new ideological grounding of black religion. Both were deeply rooted in a shared history and culture.

God and the Devil had cohabited the same universe during slavery, not as polar opposites but rather as complex characters who had different powers and who both entered into relationships with human beings. They also sometimes engaged with each other on fairly equal terms. (...)

During slavery, the sacred universe was virtually all-embracing. Spirituals helped to construct community among the slaves and infused this imagined community with hope for a better life. They retold Old Testament narratives about the Hebrew people's struggle against Pharaoh's oppression, and thereby

die Religion diese Anpassungsfähigkeit immer mehr und wurde schließlich von der Kirche abhängig. Indem sich die Sakralmusik vom Spiritual zum Gospel entwickelte, konzentrierte sie sich zunehmend auf das Jenseits. (...)

Der Blues wurde zur beliebtesten weltlichen Gattung innerhalb der schwarzen amerikanischen Musik des frühen zwanzigsten Jahrhunderts. Als Ersatz für die Sakralmusik im Alltag der Schwarzen half er bei der Bildung eines neuen schwarzen Bewusstseins und spiegelte es wieder. Diesem Bewusstsein zufolge war Gott der Widerpart des Teufels, die Religion war das Nicht-Weltliche, und das Weltliche war vor allem sexuell. Mit dem Blues kamen die Bezeichnungen «Gottesmusik» und «Teufelsmusik» auf. Erstere wurde in der Kirche gespielt und konnte auch die Arbeit begleiten, letztere war die Musik der Kneipen, des Zirkus und der Wanderbühnen. Trotz der Wiederkehr dieses dualistischen Weltbildes im Alltag schwarzer Menschen ist es wichtig, die enge Verwandtschaft zwischen der alten und der neuen Musik hervorzuheben. Die neue Musik hatte alte Wurzeln, und die alte Musik spiegelte einen neuen ideologischen Hintergrund schwarzer Religiösität wieder. Beide waren tief in einer gemeinsamen Geschichte und Kultur verwurzelt.

Während der Sklaverei lebten Gott und der Teufel im selben Universum zusammen, nicht als polare Gegensätze, sondern eher als komplexe Charaktere, die unterschiedliche Kräfte hatten und beide mit den Menschen in Beziehung traten. Manchmal bekamen sie auch auf fast gleicher Ebene miteinander zu tun. (...)

Zu Zeiten der Sklaverei war die geistliche Welt so gut wie allgegenwärtig. Spirituals trugen zur Entstehung einer Sklavengemeinschaft bei und statteten sie mit der Hoffnung auf ein besseres Leben aus. Mit der Nacherzählung der alttestamentarischen Geschichten vom Kampf des Volkes Israel gegen seine Unterdrückung durch den

established a community narrative of African people enslaved in North America that simultaneously transcended the slave system and encouraged its abolition. Under the conditions of U.S. slavery, the sacred – and especially sacred music – was an important means of preserving African cultural memory. Karl Marx's comments on religion as the "opium of the people" notwithstanding, the spirituals attest to the fact that religious consciousness can itself play a transformative role. (...)

Spirituals were embedded in and gave expression to a powerful yearning for freedom. Religion was indeed, in Marx's words, the "soul" of "soulless conditions." (...)

In the vast disappointment that followed emancipation – when economic and political liberation must have seemed more unattainable than ever – blues created a discourse that represented freedom in more immediate and accessible terms. While the material conditions for the freedom about which the slaves had sung in their spirituals seemed no closer after slavery than they had seemed before, there were nevertheless distinct differences between the slaves' personal status under slavery and during the post-Civil War period. In three major respects, emancipation radically transformed their personal lives: (1) there was no longer a proscription on free individual travel; (2) education was now a realizable goal for individual men and women; (3) sexuality could be explored freely by individuals who now could enter into autonomously chosen personal relationships.

The new blues consciousness was shaped by and gave expression to at least two of these three transformations: travel and sexuality. In both male and female blues, travel and sexuality are ubiquitous

Pharao wurde ein gemeinsamer Mythos der in Nordamerika versklavten afrikanischen Völker geschaffen, der zugleich über das Sklavensystem hinauswies und zu seiner Abschaffung ermutigte. Unter den Bedingungen der US-amerikanischen Sklaverei war alles Geistliche, insbesondere Sakralmusik, ein wichtiges Mittel zur Bewahrung des kulturellen Gedächtnisses Afrikas. Karl Marx hat die Religion als «Opium für das Volk» bezeichnet. Die Spirituals dagegen bezeugen, dass religiöses Bewusstsein eine verwandelnde Rolle spielen kann. (...)

Spirituals waren in eine starke Freiheitssehnsucht eingebettet und verliehen ihr Ausdruck. Die Religion war tatsächlich, um mit Marx' Worten zu sprechen, «der Geist geistloser Zustände». (...)

Nach der tiefen Enttäuschung, die der Befreiung folgte, als die ökonomische und politische Freiheit unerreichbarer denn je erschien, schuf der Blues ein Podium, auf dem sich die Freiheit unmittelbarer und greifbarer darstellen konnte. Einerseits erschienen die materiellen Bedingungen der Freiheit so wie sie von den Sklaven in ihren Spirituals besungen worden waren, nach der Sklaverei nicht greifbarer als zuvor, andererseits gab es deutliche Unterschiede in der persönlichen Stellung der Sklaven während der Sklaverei und in der Zeit nach dem Sezessionskrieg. Durch die Befreiung hatte sich das Leben der Einzelnen vor allem in dreierlei Hinsicht von Grund auf verändert. Erstens: Es gab kein Verbot mehr, frei und unabhängig zu reisen. Zweitens: Bildung war jetzt für Mann und Frau ein persönlich erreichbares Ziel. Drittens: Jeder einzelne Mensch konnte jetzt seine Sexualität in persönlichen Beziehungen eigener Wahl frei erkunden.

Das neue Bluesbewusstsein wurde von zumindest zweien dieser drei Veränderungen geformt und brachte sie zum Ausdruck: Reisen und Sexualität. Sowohl im männlichen als auch im weiblichen Blues sind Reisen und Sexualität

themes, handled both separately and together. But what finally is most striking is the way the blues registered sexuality as a tangible expression of freedom; it was this dimension that most profoundly marked and defined the secularity of the blues. (...)

Blues practices (...) did tend to appropriate previously religious channels of expression, and this appropriation was associated with women's voices. Women summoned sacred responses to their messages about sexuality. During this period, religious consciousness came increasingly under the control of institutionalized churches, and male dominance over the religious process came to be taken for granted. At the same time that male ministers were becoming a professional caste, women blues singers were performing as professional artists and attracting large audiences at revival-like gatherings. Gertrude "Ma" Rainey and Bessie Smith were the most widely known of these women. They preached about sexual love, and in so doing they articulated a collective experience of freedom, giving voice to the most powerful evidence there was for many black people that slavery no longer existed.

The expression of socially unfulfilled dreams in the language and imagery of individual sexual love is, of course, not peculiar to the African-American experience. As part of the capitalist schism between the public and private realms within European-derived American popular culture, however, themes of romantic love had quite different ideological implications from themes of sexuality within postslavery African-American cultural expression. In the context of the consolidation of industrial capitalism, the sphere of personal love and domestic life in mainstream American culture came to be increasingly idealized as the arena in which happiness was to be sought. This held a special significance for

allgegenwärtige Themen, die sowohl getrennt als auch zusammen behandelt werden. Am auffallendsten ist jedoch, wie der Blues die Sexualität als einen naheliegenden Ausdruck der Freiheit aufgriff: Diese Dimension kennzeichnet die Weltlichkeit des Blues am stärksten. (...)

Bluesdarbietungen (...) bedienten sich vieler ehemals religiöser Ausdrucksweisen, und diese verband man mit weiblichen Stimmen. Frauen vermittelten sexuelle Inhalte mit Hilfe eines sakralen Stils. Während dieser Zeit geriet das religiöse Bewusstsein immer mehr unter die Obhut institutionalisierter Kirchen, und die männliche Dominanz über das religiöse Geschehen wurde zunehmend als selbstverständlich angesehen. Zur selben Zeit, als männliche Priester sich zu einer professionellen Kaste entwickelten, traten Bluessängerinnen als professionelle Künstlerinnen auf und lockten großes Publikum in erweckungsartige Versammlungen. Gertrude «Ma» Rainey und Bessie Smith waren die bekanntesten dieser Frauen. Sie predigten die sexuelle Liebe und formulierten dabei eine kollektive Freiheitserfahrung, indem sie dem für viele Schwarze deutlichsten Beweis dafür, dass die Sklaverei nicht mehr existierte, ihre Stimme liehen.

Sozial unerfüllte Träume in der Sprache und im Bildrepertoire individueller sexueller Liebe auszudrücken, ist natürlich keine rein afro-amerikanische Erfahrung. Das Thema Sexualität hatte jedoch innerhalb der afro-amerikanischen Ausdrucksformen nach der Sklaverei eine sehr andere ideologische Bedeutung, als es das Thema romantischer Liebe in bezug auf die kapitalistische Spaltung in eine öffentliche und eine private Sphäre innerhalb der von Europa abgeleiteten amerikanischen populären Kultur hatte. Angesichts der Verfestigung des industriellen Kapitalismus verklärte Amerikas Mainstream-Kultur den Bereich persönlicher Liebe und häuslichen Lebens zunehmend als den Ort, wo das Glück zu finden sei. Für

women, since love and domesticity were supposed to constitute the outermost limits of their lives. Full membership in the public community was the exclusive domain of men. Therefore, European-American popular songs have to be interpreted within this context and as contributing to patriarchal hegemony.

The blues did not entirely escape the influences that shaped the role of romantic love in the popular songs of the dominant culture. Nevertheless, the incorporation of personal relationships into the blues has its own historical meanings and social and political resonances. Love was not represented as an idealized realm to which unfulfilled dreams of happiness were relegated. The historical African-American vision of individual sexual love linked it inextricably with possibilities of social freedom in the economic and political realms. Unfreedom during slavery involved, among other things, a prohibition of freely chosen, enduring family relationships. Because slaves were legally defined as commodities, women of childbearing age were valued in accordance with their breeding potential and were often forced to copulate with men – viewed as "bucks" – chosen by their owners for the sole purpose of producing valuable progeny. Moreover, direct sexual exploitation of African women by their white masters was a constant feature of slavery. What tenuous permanence in familial relationships the slaves did manage to construct was always subject to the whim of their masters and the potential profits to be reaped from sale. The suffering caused by forced ruptures of slave families has been abundantly documented.

Given this context, it is understandable that the personal and sexual dimensions of freedom acquired an expansive importance, especially since the eco-

Frauen hatte dies besondere Bedeutung, da Liebe und Häuslichkeit angeblich die äußeren Begrenzungen ihres Lebens darstellten. Die Vollmitgliedschaft in der öffentlichen Sphäre war ausschließlich ein männliches Privileg. Europäisch-amerikanische populäre Lieder müssen also vor diesem Hintergrund und als Beitrag zur patriarchalischen Herrschaftsstruktur gesehen und erkannt werden.

Den Einflüssen, die die Rolle romantischer Liebe im populären Lied der herrschenden Kultur prägten, entging auch der Blues nicht ganz. Die Einbindung persönlicher Beziehungen in den Blues hat jedoch ihre eigene historische, soziale und politische Bedeutung. Die Liebe wurde nicht als ein idealer Raum dargestellt, in den unerfüllte Glücksträume abgeschoben werden konnten. Der historischen afroamerikanischen Sicht zufolge war individuelle sexuelle Liebe unauflöslich mit den Möglichkeiten sozialer Freiheit im ökonomischen und politischen Bereich verbunden. Die Unfreiheit während der Sklaverei schloss unter anderem ein Verbot frei gewählter dauerhafter Familienverhältnisse ein. Da Sklaven gesetzlich als Waren definiert waren, wurden Frauen im gebärfähigen Alter gemäß ihrer Fruchtbarkeit bewertet und häufig gezwungen, mit als «Böcken» betrachteten Männern zu kopulieren, die von ihren Besitzern mit dem einzigen Ziel, wertvollen Nachwuchs zu produzieren, ausgewählt wurden. Abgesehen davon war die direkte sexuelle Ausbeutung afrikanischer Frauen durch ihre Herren ein Grundzug der Sklaverei. Auch wenn es Sklaven gelang, eine gewisse Beständigkeit ihrer Familienverhältnisse herzustellen, hing diese immer von den Launen ihrer Herren und möglichen Gewinnen durch Verkauf ab. Das Leid, das durch das erzwungene Auseinanderreißen von Sklavenfamilien erzeugt wurde, ist umfassend dokumentiert.

Vor diesem Hintergrund ist es verständlich, dass die persönliche und sexuelle Dimension der Freiheit große Bedeutung gewann, insbesondere da den Schwarzen die

nomic and political components of freedom were largely denied to black people in the aftermath of slavery. The focus on sexual love in blues music was thus quite different in meaning from the prevailing idealization of romantic love in mainstream popular music. For recently emancipated slaves, freely chosen sexual love became a mediator between historical disappointment and the new social realities of an evolving African-American community. (...)

Sexuality was central in both men's and women's blues. During the earliest phases of their history, blues were essentially a male phenomenon. The archetypal blues singer was a solitary wandering man accompanied by his banjo or guitar, and, in the words of blues scholar Giles Oakley, his principal theme "is the sexual relationship. Almost all other themes, leaving town, train rides, work trouble, general dissatisfaction, sooner or later revert to the central concern." In women's blues, which became a crucial element of the rising black entertainment industry, there was an even more pronounced emphasis on love and sexuality.

ökonomische und die politische Komponente der Freiheit in der Zeit nach der Sklaverei weitgehend verwehrt blieb. Die Betonung der sexuellen Liebe in der Bluesmusik bedeutete also etwas ganz anderes als die vorherrschende Verklärung romantischer Liebe in der populären Musik des Mainstream. Für die jüngst befreiten Sklaven war die frei gewählte sexuelle Liebe eine Brücke zwischen der historischen Enttäuschung und der neuen sozialen Wirklichkeit einer entstehenden afro-amerikanischen Gemeinschaft.

Sexualität stand sowohl im männlichen als auch im weiblichen Blues im Mittelpunkt. In der frühesten Phase seiner Geschichte war der Blues vor allem ein männliches Phänomen. Der ursprüngliche Bluessänger war ein einsam wandernder Mann, der sich selbst mit Banjo oder Gitarre begleitete. Sein Hauptthema war in den Worten des Blueswissenschaftlers Giles Oakley «die Sexualbeziehung. So gut wie alle anderen Themen – die Stadt verlassen, Zug fahren, Ärger bei der Arbeit und allgemeine Unzufriedenheit – kommen früher oder später auf dieses zentrale Anliegen zurück». Im Blues der Frauen, der zu einem Hauptelement der aufblühenden schwarzen Unterhaltungsindustrie wurde, war die Betonung von Liebe und Sexualität sogar noch deutlicher.

Albert J. Raboteau: The Black Church – Continuity within Change

During the past fifty years, sweeping economic, political, social, and cultural changes have profoundly affected the religious institutions of black Americans. Migration, urbanization, and the civil rights movement, to mention only the most obvious examples of large-scale social change, have fundamentally altered the conditions of life for African-Americans. In this context, the church has served both as a source of stability and as a vehicle of change. By conserving traditional religious culture, black churches gave black communities and individuals a significant sense of continuity with the past. By evoking familiar religious symbols to interpret novel circumstances, black pastors helped their people to accommodate disruptions caused by rapid change. As the mention of civil rights suggests, the churches not only reacted to social and political change; they also participated in bringing it about. (...)

For most of that period, the "great migration" of African-Americans, which began around World War I, continued to shift the black population from rural areas to urban centers, and from South to North. While the Depression slowed migration during the 1930s, between 1940 and 1970, 4.4 million black southerners left the South, with the vast majority settling in northern and, to a lesser extent, western cities. Even those blacks who remained in the South (never less than 52 percent of the

Albert J. Raboteau: Die schwarze Kirche – Kontinuität im Wandel

Die drastischen ökonomischen, politischen, sozialen und kulturellen Veränderungen der letzten fünfzig Jahre haben die religiösen Institutionen schwarzer Amerikaner tiefgreifend beeinflusst. Die Migration, die Verstädterung und die Bürgerrechtsbewegung, um nur die offensichtlichsten Beispiele sozialen Wandels im großen Maßstab zu nennen, haben die Lebensbedingungen der Afro-Amerikaner von Grund auf verändert. Die Kirche diente in diesem Zusammenhang sowohl als ein Hort der Stabilität wie auch als Medium des Wandels. Durch die Bewahrung der überlieferten religiösen Kultur gaben schwarze Kirchen den schwarzen Gemeinden und den einzelnen Mitgliedern das wichtige Gefühl der Verbindung mit der Vergangenheit. Schwarze Pfarrer halfen ihrem Volk, sich auf die vom schnellen Wandel verursachten Änderungen einzustellen, indem sie vertraute religiöse Symbole nutzten, um neuartige Gegebenheiten verständlich zu machen. Wie man am Beispiel der Bürgerrechte sehen kann, haben die Kirchen nicht nur auf den sozialen und politischen Wandel reagiert, sie haben ihn mitverursacht. (...)

Während eines Großteils dieses Zeitraums dauerte die «große afro-amerikanische Migration» an, die ungefähr mit dem Ersten Weltkrieg eingesetzt hatte. Die schwarze Bevölkerung bewegte sich von den ländlichen Gebieten in die städtischen Zentren und von Süd nach Nord. Nachdem die Weltwirtschaftskrise die Migration in den dreißiger Jahren gebremst hatte, verließen zwischen 1940 und 1970 erneut 4,4 Millionen schwarze Südstaatler den Süden, wobei sich die große Mehrheit in den Städten des Nordens und ein kleinerer Teil in denen des Westens niederließ. Und selbst von den Schwarzen, die im Süden blieben (das

total black population) moved in ever increasing numbers to cities. This massive movement of people disrupted congregations, transplanted religious customs, taxed the resources of urban churches, and formed, in the burgeoning ghettos, favorable conditions for religious innovation.

Facing an unfamiliar urban environment, rural migrants looked to the church to reaffirm the traditional values and communal ties that had always given them a sense of social location back home. In some instances they joined already established churches; in others they founded new ones of their own. The sheer number of migrants enlarged the membership of existing churches and tested their capacities to absorb the new arrivals. In the early years of the migration, some churches were so overcrowded that they had to hold double services. As the migrants continued to flood in by the thousands, pastors and church boards embarked on extensive and expensive building programs to increase the seating capacity of their buildings. Some churches established social auxiliaries to assist the migrants. Abyssinian Baptist in New York, Olivet Baptist in Chicago, and First Congregational in Atlanta, for example, conducted employment bureaus, day-care centers, kindergartens, adult education classes, drama groups, orchestras, social clubs, athletic events, and various youth programs, even in the depths of the Depression.

While some of the newcomers took pride in the size and prestige of the large city churches, others missed the intimacy and status they had enjoyed in smaller churches "down home." Differences in educational and economic levels and

waren nie weniger als 52 Prozent der schwarzen Gesamtbevölkerung) zogen immer mehr in die Städte. Diese gewaltige Bewegung brach Kirchengemeinden auf, verpflanzte religiöse Bräuche, belastete die finanziellen Mittel der Stadtkirchen und schuf in den ständig wachsenden Ghettos günstige Voraussetzungen für eine religiöse Erneuerung.

Mit dem ihnen unvertrauten Leben der Städter konfrontiert, blickten die vom Lande Zugewanderten auf die Kirche, in der Hoffnung, dass sie die überlieferten Werte und gemeindlichen Bindungen hier wiederfinden würden, die ihnen zu Hause immer ein Gefühl sozialer Verankerung gegeben hatten. Zum Teil traten sie bereits bestehenden Kirchen bei, oftmals gründeten sie selbst neue. Die schiere Anzahl der Zuwanderer vergrößerte die Mitgliedschaft der bereits bestehenden Kirchen und stellte ihre Fähigkeit, Neuankömmlinge einzugemeinden auf die Probe. In den frühen Jahren der Migration waren manche Kirchen so überfüllt, dass zweimal hintereinander Gottesdienst gehalten werden musste. Da die Zuwanderer weiterhin zu Tausenden herbeiströmten, begannen die Pfarrer und Kirchenvorstände mit großen und teuren Bauprogrammen, um die Anzahl der Sitzplätze in ihren Gebäuden zu erhöhen. Manche Kirchen gründeten Hilfsorganisationen für die Zuwanderer. Die Kirchen *Abyssinian Baptist* in New York, *Olivet Baptist* in Chicago und *First Congregational* in Atlanta zum Beispiel richteten Arbeitsvermittlungen ein, Kindertagesstätten, Kindergärten, Erwachsenenbildungskurse, Theatergruppen, Orchester, Vereine, Sportveranstaltungen und allerlei Jugendprogramme, selbst in der tiefsten Weltwirtschaftskrise.

Obwohl viele Neuankömmlinge auf die Größe und das Ansehen der großen Stadtkirchen stolz waren, vermissten andere die Geborgenheit und die persönliche Stellung, die sie in den kleineren Kirchen « in der alten Heimat » genossen hatten. Die Zuwanderer unterschieden sich von den

in styles of worship distinguished migrants from some long-time residents and from each other. These disparities, as well as the usual divisiveness of church politics, splintered congregations and multiplied the number of churches in urban black neighborhoods. The proliferation of congregations, many of them so poor and so small that they had to gather in storefronts or homes for worship, prompted the popular remark that ghettos had at least one church on every block and led some sociologists to wonder whether the black community was "overchurched".

Besides increasing the size and number of urban black churches, migration also increased the variety of black religious life by exposing people to new religious options. Accustomed to deciding between Baptist, Methodist, and perhaps Holiness-Pentecostal churches back home, migrants to the cities encountered black Jews, black Muslims, black Spiritualists, and the disciples of a host of charismatic religious figures like Father Divine and Daddy Grace, to name two of the most famous. In the cities black Protestants came into contact with Roman Catholicism, usually for the first time, since Catholics had been scarce in the rural South except for lower Louisiana and Maryland, the traditional centers of black Catholic population. From 1940 to 1975, there was a dramatic increase in the number of black Catholics.

Another intensive movement of people, this time from beyond our national borders, made a new and surprising contribution to the religious variety of urban America. Immigrants from Puerto Rico, Cuba, and more recently, Haiti, have

alteingesessenen Gemeindemitgliedern und auch untereinander durch ihr Bildungsniveau, ihre ökonomischen Verhältnisse und ihre Gottesdienstformen. Wegen dieser Ungleichheiten, aber auch wegen der üblichen kirchenpolitischen Streitigkeiten brachen Gemeinden auseinander, und dadurch vervielfachte sich die Zahl der Kirchen in schwarzen Stadtvierteln. Das Wuchern der Kirchengemeinden, die oft so arm waren, dass sie sich zum Gottesdienst in Ladenräumen oder Privatwohnungen versammeln mussten, ließ die gängige Bemerkung entstehen, die Ghettos hätten pro Häuserblock mindestens eine Kirche. Manche Soziologen begannen sich zu fragen, ob die schwarze Gemeinschaft «überkircht» sei.

Die Migration vermehrte nicht nur die Zahl und Größe der schwarzen Stadtkirchen, sondern auch die Vielfalt des schwarzen religiösen Lebens, indem sie die Menschen mit neuen Glaubensrichtungen bekannt machte. Die Zuwanderer, die von zu Hause her gewohnt waren, zwischen Baptisten-, Methodisten- und vielleicht Pfingstler-Kirchen zu wählen, trafen in den Städten auf schwarze Juden, schwarze Moslems, schwarze Spiritualisten und die Jünger einer Reihe charismatischer religiöser Führer wie Father Divine und Daddy Grace, um nur zwei der berühmtesten zu nennen. In den Städten kamen schwarze Protestanten mit dem römischen Katholizismus in Berührung, meistens zum ersten Mal, da es im ländlichen Süden, außer tief in Louisiana und in Maryland, den traditionellen Zentren der schwarzen katholischen Bevölkerung, nur wenige Katholiken gegeben hatte. Von 1940 bis 1975 gab es eine aufsehenerregende Zunahme schwarzer Katholiken.

Eine weitere starke Wanderungsbewegung, die diesmal von außerhalb unserer nationalen Grenzen kam, trug auf neue und überraschende Art zur religiösen Vielfalt des städtischen Amerika bei. Einwanderer aus Puerto Rico, Kuba und später Haiti brachten die alten Götter Afrikas in die

introduced the traditional gods of Africa to the United States. Over the past two decades, the religions of Santería and Voodoo, which originated during slavery in Cuba and Haiti respectively, have spread to black and Hispanic communities across the country. Here, as in Cuba and Haiti, initiates celebrated the feasts of the gods in rituals of drumming, singing, and dancing that derived ultimately from West and Central Africa. Underlying these rituals was the belief that the gods rule over all aspects of life. By offering them praise and sacrifice, people attracted their favor and activated their powerful intercession in times of illness or misfortune. In ceremonies of spirit possession, entranced mediums made personal contact between gods and humans possible by embodying the god for the community. Whenever something inexplicably went wrong, priest-diviners determined the cause and prescribed the means for setting things right. In these ways, Santería and Voodoo preserved a view of life as personal and relational in the midst of a society that seemed increasingly impersonal and atomistic.

Although the number of North American blacks that converted to these religions was small, the number of their adherents, according to news reports, was growing. In the 1960s reawakened interest in the African heritage prompted some African-Americans to adopt African names, styles of dress, and religious traditions. In 1970 one group of black Americans went so far as to establish an "African" village in South Carolina patterned on the culture of the Yoruba people of Nigeria. (...)

Historical studies of twentieth-century black religion have emphasized the dichotomy between

Vereinigten Staaten. In den letzen zwanzig Jahren haben sich die Religionen Santeria und Voodoo, die während der Sklaverei in Kuba beziehungsweise Haiti entstanden, in schwarzen und lateinamerikanischen Gemeinschaften im ganzen Land ausgebreitet. Genauso wie in Kuba und Haiti feierten die hiesigen Initiierten die Feste der Götter mit Trommel-, Sing- und Tanzritualen, die sich letztendlich aus West- und Zentralafrika herleiten. Diesen Ritualen lag der Glaube zugrunde, dass die Götter über alle Bereiche des Lebens herrschen. Um deren Gunst auf sich zu ziehen und ihre mächtige Fürsprache in Zeiten von Krankheit und Unglück zu erwirken, spendeten die Menschen ihnen Lob und brachten ihnen Opfer dar. In Zeremonien der Geister-Besessenheit machten medial Entrückte, indem sie in Trance für die Gemeinde einen Gott verkörperten, den persönlichen Kontakt zwischen den Göttern und den Menschen möglich. Immer wenn etwas unerklärlich Schlimmes passierte, ergründeten Priester-Seher die Ursache und verordneten Mittel, um die Dinge wieder zurechtzurücken. Auf diese Weise bewahrten Santeria und Voodoo eine auf zwischenmenschliche Beziehungen gegründete Lebensauffassung inmitten einer Gesellschaft, die zunehmend unpersönlich und zerstückelt erschien.

Obwohl die Zahl der Nordamerikaner, die zu diesen Religionen konvertierten, klein war, wuchs doch, Zeitungsberichten zufolge, die Zahl der Anhängerschaft. Ein in den sechziger Jahren wiedererwachtes Interesse am afrikanischen Erbe bewog manche Afro-Amerikaner, afrikanische Namen, afrikanische Kleidung und afrikanische religiöse Traditionen anzunehmen. 1970 ging eine Gruppe schwarzer Amerikaner so weit, nach dem Muster des Yoruba-Volkes in Nigeria ein «afrikanisches» Dorf in South Carolina zu gründen. (...)

Historische Studien zur Religion der Schwarzen im zwanzigsten Jahrhunderts haben die Kluft zwischen den

"mainline" established churches and storefront congregations in urban black communities. The former were supposedly middle-class bastions of traditional Protestantism, while the latter housed the esoteric sects and cults preferred by the lower classes. It is important to remember, however, that numerous storefront churches were Baptist and Methodist missions, newly formed congregations too poor to afford a regular church building. The stereotypical contrast between the ecstatic worship of the storefront and the sedate liturgy of the mainline church has been overdrawn. Mainline churches provided a greater variety of musical and liturgical styles than has been recognized. Significant theological and liturgical differences did divide black churches during this period, but they did not conform neatly to the storefront-mainline model or to the church-sect typology. (...)

But despite their doctrinal differences, black Christians shared more with each other than they did with white Christians of the same denominations. The racial segregation of American churches stood as a continual reminder that Christianity had failed to build a biracial religious community in this country. None were more zealous in exposing this failure than were various groups of black Muslims and black Jews. Since the days of slavery, African-Americans had identified themselves metaphorically with biblical Israel in prayer, sermon, and song. The first organization to take this identification literally was the Church of God and Saints of Christ, founded in 1896 by William S. Crowdy in Lawrence, Kansas. Crowdy preached a heterodox ver-

etablierten großen Kirchen und den Ladenraumgemeinden in den schwarzen Stadtvierteln besonders hervorgehoben. Erstere seien angeblich Mittelstandsbastionen eines traditionellen Protestantismus, während letztere die esoterischen Sekten beherbergten, die von den niederen Schichten vorgezogen würden. Es ist jedoch wichtig, daran zu erinnern, dass es sich bei zahlreichen Ladenraum-Kirchen um baptistische oder methodistische Missionen handelte, die als neu gebildete Gemeinden zu arm waren, um sich ein ordentliches Kirchengebäude leisten zu können. Der typische Kontrast zwischen ekstatischem Gottesdienst in den Ladenräumen und gesetzter Liturgie in den großen Kirchen wurde überzeichnet. Die großen Kirchen boten eine größere Vielfalt musikalischer und liturgischer Stile, als allgemein wahrgenommen wurde. Gewiss waren während dieser fünfzig Jahre die schwarzen Kirchen durch bedeutende theologische und liturgische Unterschiede gespalten, aber diese Spaltung stimmte weder mit dem Modell Ladenraum-Kirche versus große Kirche noch mit der Typologie Kirche versus Sekte exakt überein. (...)

Ungeachtet der Unterschiede ihrer Lehrmeinungen hatten die schwarzen Christen doch untereinander mehr Gemeinsamkeiten als mit den weißen Christen derselben Konfessionen. Die rassische Trennung der amerikanischen Kirchen erinnerte immer wieder daran, dass es dem Christentum in diesem Land nicht gelungen war, eine gemischtrassische Gemeinde aufzubauen. Niemand prangerte dieses Versagen eifriger an als die verschiedenen Gruppen schwarzer Moslems und schwarzer Juden. Seit der Zeit der Sklaverei hatten sich Afro-Amerikaner in ihren Gebeten, Predigten und Liedern metaphorisch mit dem biblischen Israel identifiziert. Die erste Organisation, die diese Gleichsetzung wörtlich nahm, war die 1896 von William S. Crowdy in Lawrence, Kansas, gegründete *Church of God and Saints of Christ*. Crowdy predigte eine wenig ortho-

sion of Judaism based upon his assertion that black people were descended from the ten lost tribes of Israel. Similar beliefs inspired the development of other black Jewish congregations. In the 1920s, Wentworth A. Matthew formed around a nucleus of West Indian immigrants the Commandment Keepers Congregation of the Living God, for years Harlem's largest congregation of black Jews. The Commandment Keepers believed that African-Americans were "Ethiopian Hebrews" or Falashas, who had been stripped of their true religion by slavery. Judaism was the ancestral heritage of the Ethiopians, whereas Christianity was the religion of the "Gentiles," that is, whites. The Commandment Keepers rejected Christianity as the religion of a corrupt white socitey that would destroy itself in atomic warfare. They condemned emotionally expressive worship, so characteristic of black shouting-churches, as "niggerition." Moral restraint and dignity presumably distinguished the behavior of the Ethiopian Hebrew from the immorality and self-indulgence of the "typical" Negro. While they rejected racist stereotypes as applicable to themselves, black Jews accepted them as accurate descriptions of black behavior and black culture.

Black Muslim groups closely resembled black Jews in the rejection of Negro identity as pejoratively defined by whites, and in the invention of a new religious-racial identity for African-Americans. The original religion of black people, they claimed, was Islam. The first organized movement of black Americans to identify itself as Muslim was the Moorish Science Temple founded in Newark, New Jersey, in 1913 by Ti-

doxe Version des Judentums, die auf seiner Behauptung, die Schwarzen seien Nachkommen der zehn verlorenen Stämme Israels, aufbaute. Ähnliche Glaubenslehren beeinflussten die Ausprägung anderer schwarzer jüdischer Gemeinschaften. Wentworth A. Matthew gründete in den zwanziger Jahren um einen Kern von Immigranten aus der Karibik die *Commandment Keepers Gemeinde des lebendigen Gottes*, die über Jahre Harlems größter Verband schwarzer Juden war. Die *Commandment Keepers* glaubten, dass die Afro-Amerikaner «äthiopische Hebräer» oder Fellachen seien, die ihrer wahren Religion durch die Sklaverei beraubt worden waren. Das Judentum war das Erbe der Vorfahren der Äthiopier, wogegen das Christentum die Religion der «Nichtjuden», das heißt der Weißen, war. Die *Commandment Keepers* lehnten das Christentum als die Religion einer korrupten weißen Gesellschaft ab: Diese werde sich selbst im Atomkrieg zerstören. Sie verurteilten die gefühl- und temperamentvollen Gottesdienste, die für die schwarzen *shouting*-Kirchen so typisch waren, als «Verniggerung». Angeblich unterschied den äthiopischen Hebräer seine moralische Zurückhaltung und Würde von der Unmoral und Maßlosigkeit des «typischen» Negers. Die schwarzen Juden, die rassistische Vorurteile als auf sie selbst nicht zutreffend zurückwiesen, übernahmen nun dieselben Vorurteile als genaue Beschreibung schwarzen Verhaltens und der schwarzen Kultur.

Schwarze Moslem-Gruppierungen ähnelten den schwarzen Juden einerseits in ihrer Ablehnung des von den Weißen abwertend definierten Begriffs der Neger-Identität, andererseits erfanden beide Gruppen eine neue religiös-rassische Identität für Afro-Amerikaner. Die ursprüngliche Religion der Schwarzen, behaupteten sie [die schwarzen Muslime], sei der Islam. Die erste organisierte Bewegung schwarzer Amerikaner, die sich als Muslime bekannten, war der 1913 von Timothy Drew in Newark, New Jersey,

mothy Drew. The Noble Drew Ali, as his followers called him, taught that African-Americans were not Negroes but Asiatics. Their original home was Morocco; their true nationality was Moorish-American. To symbolize recovery of their true identity, members of the Moorish Science Temple received new names and identity cards issued by Noble Drew Ali. Knowledge of their true selves, Ali taught, would empower them to overcome racial oppression. The Moorish Science Temple survived Ali's death in 1929, only to be eclipsed by another esoteric Muslim group that gained much more notoriety among blacks as well as whites.

In 1930 a peddler, W. D. Fard, began teaching poor blacks in Detroit that they were members of a Muslim "lost-found tribe of Shabbazz" and that salvation for black people lay in knowledge of self. Before disappearing in 1934, Fard provided an institutional base for his movement by establishing the Temple of Islam, the University (actually an elementary and secondary school) of Islam, the Muslim Girls Training Class, and a paramilitary corps, the Fruit of Islam. Under Fard's successor, Elijah Muhammad, who guided the movement for the next forty years, the Nation of Islam grew from two small congregations in Detroit and Chicago to dozens of mosques embracing thousands of members in every section of the country. By claiming that Fard had actually been the incarnation of Allah and that he was Fard-Allah's messenger, Elijah Muhammad asserted his authority to proclaim an elaborate gospel that owed much more to the racial situation in America than it did to the tenets of Islam. His

gegründete *Moorish Science Temple*. Der *Edle Drew Ali*, wie seine Anhänger ihn nannten, lehrte, dass die Afro-Amerikaner keine Neger, sondern Orientalen seien. Ihre ursprüngliche Heimat sei Marokko; ihre wahre Nationalität Mauro-Amerikanisch. Als Zeichen der Wiederherstellung ihrer wahren Identität erhielten die Mitglieder des *Moorish Science Temple* neue Namen und vom *Edlen Drew* ausgestellte Personalausweise. Die Erkenntnis ihrer wahren Identität, so lehrte Ali, gäbe ihnen die Kraft, die rassistische Unterdrückung zu überwinden. Der *Moorish Science Temple* überlebte zwar Alis Tod 1929, wurde aber alsbald von einer anderen esoterischen Moslem-Gruppierung in den Schatten gestellt, die sowohl unter Schwarzen als auch unter Weißen viel mehr traurige Berühmtheit erlangen sollte.

1930 begann der Hausierer W. D. Fard armen Schwarzen in Detroit zu predigen, dass sie Mitglieder eines muslimischen «verlorenen und wiedergefundenen Stammes von Shabbazz» seien und dass das Heil der Schwarzen in dieser ihrer Identität läge. Vor seinem Verschwinden 1934 hatte Fard durch die Gründung des *Temple of Islam*, der *University of Islam* (tatsächlich eine Grund- und Oberschule), der *Muslim Girls Training Class* und einer Miliztruppe, der *Fruit of Islam*, die grundlegenden Einrichtungen für seine Bewegung geschaffen. Unter Fards Nachfolger, Elijah Muhammad, der die Bewegung in den folgenden 30 Jahren führte, wuchs die *Nation of Islam* von zwei kleinen Gemeinden in Detroit und Chicago zu Dutzenden im ganzen Land verteilten Moscheen an, mit Tausenden Mitgliedern. Mit der Behauptung, Fard sei tatsächlich der fleischgewordene Allah gewesen, und er sei Fard-Allahs Bote, nahm es sich Elijah Muhammad heraus, eine ausgeklügelte Lehre zu verkünden, die weit mehr auf der rassischen Situation Amerikas beruhte als auf den Glaubenssätzen des Islam. Seine Offenbarung, dass die Weißen eine Teufelsrasse seien, Produkt eines bösartigen genetischen Experiments eines

revelation that white people were a race of devils, the product of a black scientist's malicious genetic experiment, was heresy in the eyes of orthodox Muslims, but to Messenger Elijah's disciples it seemed a plausible explanation for endemic white racism and an effective antidote to the pervasive myth of black inferiority.

The black Muslims, most notably Malcolm X, castigated black Christians for accepting the "white man's religion" and denounced the black church for keeping black Americans ignorant of their true selves. They pointed to their successful record in rehabilitating criminals, drug addicts, and alcoholics as proof that Islam was better fitted than Christianity to save the outcasts of America's society. Black Muslims, like black Jews, rejected behavior associated with popular black culture and disciplined their membership to observe strict dietary and social regulations. Moreover, black Muslims insisted on a new national as well as religious identity. Elijah Muhammad taught his followers to reject the rituals of American civic piety, such as saluting the flag, voting, and registering for the draft. Claiming that they constituted a black nation, the black Muslims demanded that the federal government set aside a separate section of the country for black people in compensation for the unpaid labor of their slave ancestors.

Black Jewish and black Muslim attacks on Christianity highlighted a problem that had long troubled black churches: the racist attitudes and behavior of white Christians. From slavery days on, black Christians had resisted the temptation to identify Christianity as a religion "for whites

schwarzen Wissenschaftlers, war in den Augen orthodoxer Muslime gotteslästerlich. Doch die Jünger des Boten Elijah sahen darin eine einleuchtende Erklärung für den verbreiteten weißen Rassismus, wie auch ein wirksames Gegengift gegen den alles durchdringenden Mythos von der schwarzen Minderwertigkeit.

Die schwarzen Muslime, allen voran Malcolm X, geißelten schwarze Christen für ihre Hinnahme der « Religion des Weißen Mannes » und prangerten die schwarze Kirche an, die schwarzen Amerikaner über ihr wahres Selbst im unklaren zu lassen. Sie verwiesen auf ihre Erfolge in bezug auf die Wiedereingliederung von Straftätern, Drogenabhängigen und Alkoholikern als Beweis dafür, dass der Islam besser als das Christentum geeignet sei, die Außenseiter der amerikanischen Gesellschaft zu retten. Genau wie die schwarzen Juden lehnten die schwarzen Muslime jegliches mit der schwarzen Volkskultur in Verbindung zu bringende Verhalten ab, und erzogen ihre Mitgliederschaft dazu, in Ernährung und Sozialverhalten strengen Regeln zu folgen. Zudem bestanden die schwarzen Muslime auf einer neuen nationalen wie religiösen Identität. Elijah Muhammad predigte seinen Anhängern, sie sollten die amerikanischen Ehrenrituale verweigern: die Flagge zu grüßen, zur Wahl zu gehen und sich für den Militärdienst registrieren zu lassen. Mit dem Anspruch, eine schwarze Nation darzustellen, verlangten die schwarzen Muslime, dass die Regierung der Vereinigten Staaten einen Teil des Landes als Entschädigung für die unbezahlte Arbeit ihrer Sklavenvorfahren an sie abtreten solle.

Die schwarzen jüdischen und schwarzen muslimischen Angriffe auf das Christentum machten ein Problem deutlich, das den schwarzen Kirchen schon seit langem Sorgen bereitete: die rassistische Einstellung und das rassistische Verhalten weißer Christen. Vermittels ihrer Unterscheidung zwischen dem « wahren » Christentum, das die Gleich-

only" by distinguishing "true" Christianity, which preached the equality of all races, from "false" Christianity, which countenanced slavery and discrimination against blacks. There were always those, however, who failed to see the distinction and who scorned Christianity as the religion of the oppressors. Given the history of white brutality against blacks, how could blacks accept the same religion as whites? The national identity of black Americans was threatened by the same dilemma. A history of slavery, disfranchisement, and discrimination in America made African-Americans feel like aliens in their own land. Black Jews and black Muslims solved the dilemma by embracing their alienation from Christianity and from America. By identifying with Judaism and Islam, respected religions embraced by millions of "nonwhite" people around the world, African-Americans figuratively escaped to a religious homeland outside the racial boundaries that imprisoned them in America.

heit aller Rassen predigte, und dem «falschen», das die Sklaverei und Diskriminierung gegen Schwarze guthieß, hatten die schwarzen Christen seit der Zeit der Sklaverei der Versuchung widerstanden, das Christentum als eine Religion «nur für Weiße» anzusehen. Es gab freilich immer auch solche, die diesen Unterschied nicht zu sehen vermochten und folglich das Christentum als die Religion der Unterdrücker verachteten. Wie konnten Schwarze im Hinblick auf die Geschichte weißer Brutalität gegen Schwarze dieselbe Religion annehmen wie Weiße? Die nationale Identität schwarzer Amerikaner war vom selben Dilemma bedroht. Die Geschichte der Sklaverei, der Rechtlosigkeit und der Diskriminierung in Amerika ließ Afro-Amerikaner sich wie Fremde im eigenen Land fühlen. Schwarze Juden und schwarze Muslime lösten das Dilemma, indem sie ihre Entfremdung vom Christentum und von Amerika hinnahmen. Durch ihre Identifikation mit dem Judentum oder dem Islam, anerkannten Religionen mit Millionen «nichtweißen» Anhängern in der ganzen Welt, entflohen Afro-Amerikaner bildlich in eine religiöse Heimat außerhalb der rassischen Grenzen, die sie in Amerika gefangenhielten.

William L. Van Deburg: Black Power in Sports

White people seem to think we're animals. I want people to know we're not animals, not inferior animals, like cats and rats. They think we're some sort of show horse. They think we can perform and they will throw us some peanuts and say, "Good boy, good boy." John Carlos, 1968

Insensitive professors and hidebound administrators had their counterparts in the world of big-time sports. During the Black Power era, these individuals were assailed by members of the college-age youth culture and their equally militant, if somewhat more senior, allies. Black activists throughout society recognized that both amateur and professional sports had become important forms of leisure time entertainment. Sports was big business – a veritable industry founded on muscles, sweat, pom-poms, and wide-angle lenses. By inventing new and ever more spectacular media events, the sports-entertainment industry had the wherewithal to crown and dethrone numerous culture heroes. According to black critics, this arrangement was corrupt. The power relationships were skewed. In most areas of the sporting world, whites served as kingmakers, blacks as gladiators. It was believed that only Black Power could improve matters.

The expressed grievances of America's black athletes had multiplied in proportion to their visibility on the national sports scene. By 1968, approximately one quarter of all major league baseball players, one third of professional football players,

William L. Van Deburg: Black Power im Sport

Weiße scheinen zu denken, wir seien Tiere. Die Leute sollen wissen, dass wir keine Tiere sind, keine minderwertigen Tiere, wie Katzen oder Ratten. Sie denken, wir seien eine Art Paradepferde. Sie glauben, wir erbringen unsere Leistung und dann werfen sie uns ein paar Erdnüsschen zu und sagen: «Guter Junge, braver Junge». John Carlos 1968

Die bornierten Professoren und verknöcherten Verwaltungsbeamten hatten ihre Entsprechung in der Welt des Sports. Während der Black-Power-Ära wurden diese Leute von den etwa zwanzigjährigen Anhängern einer Jugendkultur und ihren ebenso militanten, wenn auch etwas älteren Verbündeten angegriffen. Schwarze Aktivisten innerhalb der Gesellschaft erkannten, dass sowohl der Amateur- als auch der Profi-Sport zu wichtigen Bestandteilen von Freizeit und Unterhaltung geworden waren. Sport war ein großes Geschäft – eine regelrechte Industrie, die auf Muskeln, Schweiß, Cheerleader-Wedeln und Weitwinkelobjektiven aufbaute. Durch die Erfindung neuer und immer mehr Aufsehen erregender Medienereignisse hatte die Sportindustrie das nötige Kleingeld, beliebig viele Popstars zu krönen und wieder zu entthronen. Schwarzen Kritikern zufolge war dieser Zustand korrupt. Die Machtverhältnisse waren verzerrt. In den meisten Bereichen der Welt des Sports traten die Weißen als Königsmacher auf, die Schwarzen dienten als Gladiatoren. Nur Black Power, so schien es, könnte diesen Zustand verbessern.

Die vernehmbaren Proteste der schwarzen Sportler Amerikas hatten sich im gleichen Ausmaß vervielfacht wie ihr Sichtbarwerden in der nationalen Sportszene. 1968 waren ungefähr ein Viertel aller Baseballspieler der Hauptliga, ein Drittel der Footballprofis und etwas mehr als die Hälfte

and slightly more than one-half of all professional basketball players were Afro-Americans. Within their ranks stood many of the most prominent and handsomely compensated athletes in sport. But, while active participation was far preferable to the exclusion and open hostility of earlier years, black athletes continued to find fault with the system.

In professional sports, the most glaring insufficiency was to be found in the managerial ranks. Bill Russell of basketball's Boston Celtics stood alone. No other black athlete managed a big league team. Moreover, embarrassingly few were in training for top jobs. When Dallas met Green Bay in the 1967 National Football League title game, there were 16 black players among the 44 starters, but all 13 coaches on the sidelines were white. Across the league, black assistant coaches were too few in number even to get up a good poker game. What accounted for this skewed representation? According to NFL running back John Henry Johnson, an adherance to pejorative cultural stereotypes was at the root of the problem. "It's bad when you give a business twelve, thirteen years of your life, and then are given no consideration for a job afterward," he lamented, "They've still got the stereotype of the Negro ballplayer." Supposedly, blacks were fleet of foot, but slow of mind. They folded under pressure. They couldn't motivate white players. Afro-Americans were to be the entertainers, not the producers or directors of big-time Sports.

Participation without power also was evident at the college level. Black athletes complained about false recruiting promises, the absence of effective role models on the coaching staff, and what seemed to be the preferential treatment accorded white play-

aller Basketballprofis Afro-Amerikaner. Unter ihnen waren einige der berühmtesten und bestbezahlten Athleten. Zwar stellte die aktive Beteiligung einen Fortschritt gegenüber dem Ausschluss und der offenen Feindseligkeit früherer Jahre dar, schwarze Athleten ließen dennoch nicht davon ab, das System zu kritisieren.

Das krasseste Missverhältnis im professionellen Sport konnte man in den Reihen der Manager finden. Bill Russel von den Boston Celtics war der einzige [Schwarze]. Kein anderer schwarzer Sportler managte eine Mannschaft der großen Liga. Außerdem wurden lächerlich wenige für die Spitzenjobs ausgebildet. Als Dallas 1967 in dem Spiel um den Titel der National Football League [NFL] auf Green Bay traf, waren 16 schwarze Spieler unter den 44 Teilnehmern, während alle 13 Trainer am Spielfeldrand weiß waren. In der ganzen Liga gab es zu wenige schwarze Hilfstrainer, um auch nur eine anständige Pokerrunde zusammenzubringen. Was war der Grund für diese schlechte Repräsentation? Für den NFL-Läufer John Henry Johnson lag der Kern des Problems im Festhalten an abwertenden kulturellen Klischees. «Es ist enttäuschend, wenn du zwölf, dreizehn Jahre deines Lebens an eine Sache drangibst und nachher nicht für einen Job in Erwägung gezogen wirst», beklagte er sich. «Die haben immer noch das Vorurteil vom Neger-Baseballspieler.» Schwarze hätten angeblich flinke Füße, aber einen langsamen Verstand. Sie hielten Belastungen nicht stand und könnten weiße Spieler nicht motivieren. Afro-Amerikaner sollten die Unterhalter, aber nicht die Produzenten und Regisseure im großen Sportgeschäft sein.

Auch im Studentensport herrschte offensichtlich Beteiligung ohne Mitbestimmung. Schwarze Sportler beklagten sich über falsche Werbeversprechen, das Fehlen echter Vorbilder unter den Trainern und die offenbare Bevorzugung weißer Spieler hinsichtlich der Medienaufmerksam-

ers in terms of media attention. Even after being assigned to demeaning "gut" courses, relatively few black athletes graduated within four years. Many never graduated at all. Instead, when age or injury impaired their athletic eligibility, only the poverty of urban ghetto life beckoned. When asked what he had received from four years of scholarship athletics at various colleges, Percy Harris, a coach at Chicago's DuSable High School, spoke for many when he mused: "Well, let's see. At the University of New Mexico I got a sweater. At Cameron State College in Oklahoma I got a blanket. At Southwestern State I got a jacket and a blanket."

During the Black Power era, these and other hurts were articulated with a vengeance. Influenced by the spirit of the times, militant athletes made clear their discontent with those who would celebrate – and market – the Afro-Americans' physical prowess while refusing to tap their full human potential. The organized effort to boycott the 1968 Mexico City Olympic Games represented, in microcosm, the militants' attempt to overturn this exploitative system. College-age participants in the boycott campaign recognized that when separated from campus demonstrations and violence, issues of educational reform seldom generated headlines. By linking the Olympics with institutionalized racism, they drew considerable attention to the Black Power movement in the real world beyond the campus.

The Olympic boycott movement was regarded by the media as the brainchild of Harry Edwards, a black, 25-year-old assistant professor of socio-

keit. Selbst nachdem sie entwürdigenden «Baby»-Kursen zugewiesen worden waren, erhielten nur relativ wenige schwarze Sportler binnen vier Jahren einen Universitätsabschluss. Viele schafften es nie. Falls das Alter oder eine Verletzung ihre Sporttauglichkeit einschränkte, blieb ihnen nur die Rückkehr in die Armut des städtischen Ghettolebens. Percy Harris, ein Trainer der Chicagoer DuSable-Oberschule, sprach für viele, als er darüber nachsann, was ihm sein vierjähriges Sportstipendium an mehreren Colleges gebracht hatte: «Gut, zählen wir zusammen. An der Universität von New Mexico bekam ich ein Sweatshirt. Vom Cameron State College in Oklahoma bekam ich eine Decke. Bei Southwestern State bekam ich eine Jacke und eine Decke.»

Während der Black-Power-Ära wurde all dies und mehr mit Nachdruck angeprangert. Vom Zeitgeist inspiriert, zeigten kämpferische Sportler ihren Unmut über diejenigen, die die physische Stärke der Afro-Amerikaner priesen – und vermarkteten –, sich aber weigerten, ihr volles menschliches Potential zu erschließen. Das Bestreben der Kämpfer, dieses ausbeuterische System zu stürzen, kommt beispielhaft in ihren organisierten Anstrengungen, die Olympischen Spiele von 1968 in Mexico City zu boykottieren, zum Ausdruck. Die um die zwanzig Jahre alten Teilnehmer an der Boykott-Kampagne erkannten, dass Themen der Ausbildungsreform selten Schlagzeilen machten, wenn sie nicht mit Campus-Demonstrationen und Gewalt verbunden waren. Dadurch, dass sie die Olympiade mit dem institutionalisierten Rassismus in Verbindung brachten, zogen sie auch in der Welt außerhalb der Universität beträchtliche Aufmerksamkeit auf die Black-Power-Bewegung.

Die Olympiaboykott-Bewegung wurde von den Medien als eine Erfindung von Harry Edwards, einem 25jährigen schwarzen Habilitanten der Soziologie am kalifornischen,

logy at California's virtually all-white San Jose State College. Although the flamboyant Edwards' contributions were essential to the 1968 campaign, neither his expression of discontent with the athletic status quo nor his technique of withholding services was without precedent. A black boycott of the 1960 Olympics had been suggested as one way of protesting the treatment of civil rights workers by southern police. Four years later, activist comedian Dick Gregory and 1948 gold medalist Mal Whitfield, among others, proposed a similar action at the Tokyo games if black Americans were not guaranteed "full and equal rights as first-class citizens." In the summer of 1967, the more than 1,100 delegates to the First National Conference on Black Power adopted a resolution calling for boycotts of international Olympic competition and of professional boxing. Responding to the treatment of Muhammad Ali following the heavyweight champion's refusal to be drafted into the army, the Newark conference delegates also supported boycotting the products of companies that sponsored commercial boxing matches.

By 1968 both professional and college-level athletes had discovered the utility of this approach. For example, the 1967 American Football League all-star game almost became a non-event when black players refused to play in New Orleans because several had been denied entrance to certain of the local social clubs. Disaster was averted only when the league commissioner succeeded in moving the game out of the city. At the University of California, the demand that a black member of the basketball team trim his Afro-style hair sparked a protest that led to the resignation of both the coach

so gut wie vollständig weißen San Jose State College angesehen. Gewiss, der extravagante Edwards trug Wesentliches zur Kampagne von 1968 bei, aber weder der Ausdruck seiner Unzufriedenheit mit dem Status quo im Sport noch seine Methode, Leistungen zu verweigern, waren ohne Vorläufer. Schon 1960 war ein schwarzer Boykott der Olympiade als Protestmöglichkeit gegen die Behandlung der Bürgerrechtler durch die Polizei der Südstaaten vorgeschlagen worden. Vier Jahre später schlugen – unter anderen – der Aktivist und Komiker Dick Gregory und Mal Whitfield, ein Goldmedaillengewinner von 1948, ein ähnliches Vorgehen für die Spiele von Tokio vor, falls schwarze Amerikaner nicht die «vollen und gleichen Rechte als Bürger erster Klasse» erhielten. Im Sommer 1967 fassten 1100 Delegierte der Ersten Nationalen Konferenz über Black Power einen Beschluss, der zum Boykott des internationalen olympischen Wettbewerbs und des Profiboxens aufrief. Als Antwort auf die Behandlung, die dem Schwergewichtchampion Muhammad Ali widerfuhr, als er sich weigerte, Wehrdienst zu leisten, unterstützten die Delegierten der Konferenz in Newark auch den Boykott von Produkten derjenigen Firmen, die kommerzielle Boxkämpfe sponsorten.

1968 hatten die professionellen und die studentischen Sportler gleichermaßen die Vorteile dieses Ansatzes entdeckt. Das Starspiel der American Football League [AFL] von 1967 wäre fast zu einem Nicht-Ereignis geworden, als sich die schwarzen Spieler weigerten, in New Orleans zu spielen, da einigen von ihnen der Eintritt in bestimmte Karnevalsvereine verwehrt worden war. Ein Desaster konnte nur dadurch abgewandt werden, dass es dem Präsidenten der Liga gelang, das Spiel nach außerhalb der Stadt zu verlegen. An der Universität von Kalifornien löste die Forderung, ein schwarzes Mitglied der Basketballmannschaft solle seine Afro-Frisur stutzen, einen Protest

and the school's athletic director. Disgruntled football players at the University of Kansas boycotted spring practice in order to force the integration of the pom-pom squad. University of Texas-El Paso trackmen refused to compete against Brigham Young. In East Lansing, an assistant coach's comment that the assassination of Martin Luther King, Jr. "doesn't have anything to do with practice" inspired a threat by black athletes to pass up the year's sports competition at Michigan State altogether. The mass confusion surrounding these and other campus confrontations made relevant Harry Edwards' claim that, even though given sufficient warning, the American sports establishment was "as unprepared for the revolt of the black athlete as the Virginians had been for Nat Turner."

Edwards did his best to warn of the impending conflict over the Olympics. During the fall semester of 1967, the former San Jose State basketball captain and track and field star presented a list of grievances to the university's president. Speaking for fifty-nine of the campus's two hundred Afro-American students, he demanded that the administration investigate a series of indignities suffered by the school's black athletes both on and off campus. If immediate action was not taken, Edwards and his supporters threatened to "physically interfere" with the playing of the San Jose State – Texas El Paso football game the following Saturday. President Robert D. Clark promptly called off the event, sparking a statewide debate. Governor Ronald Reagan termed Clark's unprecedented action an "appeasement of lawbreakers" and declared Edwards

aus, der zum Rücktritt des Trainers und des Sportdirektors der Universität führte. Verärgerte Footballspieler der Universität von Kansas boykottierten das Frühjahrstraining, um die Öffnung des Cheerleader-Trupps für Schwarze zu erzwingen. Läufer von der Universität von Texas in El Paso weigerten sich, gegen [die weiße Mormonenuniversität] Brigham Young anzutreten. In East Lansing provozierte die Bemerkung eines Hilfstrainers, dass das Attentat auf Martin Luther King «nichts mit dem Training zu tun hat», eine Drohung schwarzer Sportler, die diesjährigen Sportwettkämpfe der Michigan State Universität komplett ausfallen zu lassen. Die große Unruhe, die diese und andere Auseinandersetzungen auf dem Campus auslösten, gab Harry Edwards' Behauptung recht, dass das amerikanische Sport-Establishment, den rechtzeitigen Warnungen zum Trotz, «ebensowenig auf die Erhebung des schwarzen Sportlers vorbereitet [war], wie die Virginier auf den [Sklavenaufstand von] Nat Turner.»

Edwards tat sein möglichstes, um vor dem drohenden Konflikt um die Olympiade zu warnen. Während des Herbstsemesters 1967 präsentierte der frühere Basketballkapitän und Leichtathletikstar der San Jose State Universität dem Universitätspräsidenten eine Liste von Beschwerden. Als Sprecher von neunundfünfzig der zweihundert afro-amerikanischen Studenten auf dem Campus forderte er, dass die Verwaltung ein Reihe von Demütigungen, die die schwarzen Sportler der Universität sowohl auf dem Campus als auch außerhalb erlitten hatten, untersuchen solle. Falls keine sofortigen Maßnahmen getroffen würden, drohten Edwards und seine Anhänger, das Spiel von San Jose State gegen Texas El Paso am nächsten Samstag «physisch zu stören». Präsident Robert D. Clark sagte das Ereignis sofort ab und löste dadurch eine landesweite Debatte aus. Gouverneur Ronald Reagan nannte Clarks beispiellose Handlung eine «Beschwichtigung von Gesetzesbrechern»

unfit to hold a faculty position. State Superintendent of Education Max Rafferty fumed: "If I had to ask the President to call in the whole Marine Corps, that game would have been played!" In response, Edwards dismissed Reagan as "a petrified pig, unfit to govern" and said that he and his group would have burned the stadium to the ground if the game hadn't been cancelled.

Early in 1968, Edwards achieved a second major victory when he persuaded scores of black athletes to withdraw from an indoor track meet sponsored by the all-white New York Athletic Club. Again, threats of violence were employed. When, for example, boycott supporters learned that Jim Hines, a world-record-holding sprinter from Texas still planned to compete, Edwards warned: "I hear he wants to play pro football. Some cats in Texas have personally said they'd fix it so he'd be on sticks if he's crazy enough to run in that meet." Eventually, Hines withdrew, hundreds demonstrated outside Madison Square Garden on the night of the event (Edwards claimed more than twenty thousand filled the streets), and fewer than a dozen blacks entered the competition.

The actual organizational infrastructure of the Olympic boycott movement began to fall into place at a black youth conference held in the meeting rooms of Los Angeles' Second Baptist Church on Thanksgiving day 1967. The theme of the conference was "Liberation is coming from a black thing" and, most appropriately, one of the workshops focused on the question of black participation in the upcoming games. About fifty of the two-hundred delegates were college athletes. Following their deliberations, the workshop partici-

und erklärte Edwards für unfähig, eine Lehrposition zu bekleiden. Max Rafferty, der Bildungsbeauftragte des Staates, tobte: «Auch wenn ich den Präsidenten hätte bitten müssen, das ganze Marinekorps einzuberufen, das Spiel wäre gespielt worden!» Als Antwort nannte Edwards Reagan ein «versteinertes Schwein, unfähig zu regieren» und sagte, dass er und seine Gruppe das Stadion niedergebrannt hätten, wenn das Spiel nicht abgesagt worden wäre.

Anfang 1968 errang Edwards einen zweiten großen Sieg, als er Hunderte schwarzer Sportler überzeugte, sich von einem Hallenläufertreffen, das von dem durch und durch weißen New York Athletic Club ausgeschrieben worden war, zurückzuziehen. Wieder wurden Gewaltdrohungen laut. Als die Boykottanhänger zum Beispiel erfuhren, dass Jim Hines, ein Sprinter aus Texas, der einen Weltrekord hielt, immer noch seine Teilnahme plante, warnte Edwards: «Ich höre, er will Profi-Football spielen. Ein paar Jungs aus Texas haben versichert, dass sie dafür sorgen würden, dass er auf Krücken gehen wird, falls er so verrückt sein sollte, an diesem Treffen teilzunehmen.» Schließlich trat Hines nicht an, Hunderte demonstrierten außerhalb des Madison Square Garden (Edwards behauptete, mehr als zwanzigtausend hätten die Straßen gefüllt) und weniger als ein Dutzend Schwarze nahmen am Wettkampf teil.

Auf einer schwarzen Jugendkonferenz, die in den Räumen der Second Baptist Church von Los Angeles zu Thanksgiving 1967 stattfand, nahm die eigentliche Organisationsstruktur der Olympiaboykott-Bewegung Gestalt an. Das Thema der Konferenz war: «Befreiung ist 'ne schwarze Sache», und eine der Arbeitsgruppen befasste sich passenderweise mit der Frage der schwarzen Beteiligung an den bevorstehenden Spielen. Ungefähr fünfzig der zweihundert Delegierten waren College-Sportler. Nach ihren Beratungen traten die Teilnehmer der Arbeitsgruppen durch ein Schutzspalier von fünfzig kahlköpfigen Sicher-

pants emerged through a protective gauntlet of fifty shaven-headed security guards from the west coast cultural nationalist group, US. Harry Edwards then presented white reporters – who had been barred from the sessions – with the rationale behind the new Olympic Project for Human Rights. For years, he noted, black athletes had been major contributors to the success of their national team. Despite these selfless efforts, they continued to experience discrimination. The boycott supporters weren't purposely banding together to "lose" the Olympics for the United States, they simply, but firmly, were saying that it was time for black athletes to stand up for themselves and refuse to be "utilized as performing animals for a little extra dog food."

In subsequent months, Edwards illustrated his case for black empowerment with gripping vignettes drawn from memories of an impoverished boyhood in East St. Louis. He told of being abandoned by his mother at age eight, of living on beans and spaghetti, and drinking boiled drainage-ditch water. Lacking indoor plumbing, he stayed in high school only because it was the only way he could get a hot shower. Too poor to afford dental care, he pulled out his own rotted teeth. He recalled that some of his peers had frozen to death in their ramshackle shacks with paneless windows and outdoor plumbing. Others, like himself, were jailed for juvenile offenses which they hadn't committed.

And how did these youthful experiences relate to a proposed boycott of the Olympic Games? To Edwards, the relationship was clear. Supporters of the Olympic Project weren't sacrificing their opportunity to win gold medals simply to end their

heitsleuten der [schwarzen] kulturnationalistischen Westküstengruppe US, an die Öffentlichkeit. Harry Edwards trug dann weißen Journalisten – die von den Sitzungen ausgeschlossen waren – die Gründe für das neue Olympia-Projekt für Menschenrechte vor. Er sagte, dass schwarze Sportler seit Jahren einen wesentlichen Beitrag zum Erfolg der Nationalmannschaft geleistet hätten. Aber trotz dieser selbstlosen Bemühungen erlebten sie weiterhin Diskriminierung. Die Boykott-Anhänger hätten sich nicht mit dem Ziel zusammengetan, die Olympiade für die Vereinigten Staaten zu «verlieren», sie sagten einfach, aber, bestimmt, es sei an der Zeit, dass schwarze Sportler aufstünden und es ablehnten, «sich als Vorführtiere für ein bisschen extra Hundefutter benutzen zu lassen».

In den folgenden Monaten schmückte Edwards seine Forderungen nach schwarzer Mitbestimmung mit Erinnerungen an Szenen aus seiner ärmlichen Kindheit in East St. Louis aus. Er erzählte, dass er von seiner Mutter im Alter von acht Jahren verlassen worden sei, von Bohnen und Spaghetti gelebt und gekochtes Abwasser getrunken habe. Da er kein fließendes Wasser hatte, ging er nur deshalb weiter zur Schule, weil das die einzige Möglichkeit war, sich warm zu duschen. Zu arm, sich einen Zahnarzt leisten zu können, zog er sich selber seine verfaulten Zähne. Er erinnerte sich, dass einige seiner Altersgenossen in ihren baufälligen Hütten mit unverglasten Fenstern und ohne fließendes Wasser erfroren waren. Andere, wie auch er selbst, waren wegen Jugenddelikten, die sie nicht begangen hatten, eingesperrt worden.

Was hatten diese Kindheits- und Jugenderfahrungen mit dem vorgeschlagenen Olympiaboykott zu tun? Für Edwards war der Zusammenhang klar. Die Anhänger des Olympiaboykotts opferten ihre Chance, Goldmedaillen zu gewinnen, nicht nur, um ihre eigene Ausbeutung zu

own exploitation. They also were hoping to dramatize and protest the plight of their nonathletic brothers and sisters. After all, he asked, "What value is it to a black man to win a medal if he returns to the hell of Harlem?" The boycotters realized that, for many Americans, sports had become a type of popular culture religion. On weekends between 1:00 and 6:00 P.M. a substantial portion of the country either was in a stadium or in front of a television set tuned to a sporting event. Edwards sought to reach these people, to affect them, to wake them up to the black situation. As he noted in the spring of 1968, "If we can arouse wide publicity by refusing to play Whitey's game, then perhaps those ditch-water drinkers will be remembered." Self-definition, dignity, and power for every Afro-American in every sector of society was the ultimate concern.

Specific demands made by the leaders of the Olympic Project included expulsion of the International Olympic Committee's "racist" president Avery Brundage; appointment of a black member to the U.S. Olympic Committee (USOC) and an additional black coach to the U.S. team; a ban on competition between Americans and teams from apartheid states such as South Africa and Rhodesia; restoration of Muhammad Ali's heavyweight title; and desegregation of the New York Athletic Club. Initially, these suggested reforms garnered remarkably broad-based support. Following a December 1967 meeting in New York City, Martin Luther King, Jr. of the SCLC, and CORE's Floyd McKissick agreed to serve as advisors to the project. Early in 1968, H. Rap Brown, chairperson of SNCC, pledged the support of his organization.

beenden. Sie gedachten mit ihrem Protest auch das Elend ihrer Brüder und Schwestern, die keine Sportler waren, ins Bewusstsein zu rufen. Schließlich fragte Edwards: «Was ist der Gewinn einer Goldmedaille für einen schwarzen Mann wert, wenn er in die Hölle von Harlem zurückkehrt?» Die Boykotteure hatten begriffen, dass Sport für viele Amerikaner eine Art Popkulturreligion geworden war. An Wochenenden zwischen 13 und 18 Uhr verfolgte ein beträchtlicher Teil der Bevölkerung ein Sportereignis, entweder im Stadion oder am Fernseher. Diese Leute versuchte Edwards zu erreichen, er wollte sie wachrütteln, damit sie sich der Situation der Schwarzen bewusst würden. So stellte er im Frühjahr 1968 fest: «Wenn wir durch die Weigerung, Whiteys Spiel zu spielen, große Aufmerksamkeit erregen können, dann wird man sich möglicherweise an diese Abwasser-Trinker erinnern.» Das eigentliche Anliegen war Selbstbestimmung, Würde und Mitwirkung für jeden Afro-Amerikaner in allen Schichten der Gesellschaft.

Die präzisen Forderungen der Leiter des Olympia-Projekts umfassten die Entlassung des «rassistischen» Präsidenten des Internationalen Olympischen Komitees Avery Brundage, die Benennung eines schwarzen Mitglieds im US-amerikanischen olympischen Komitee (USOC) und eines zusätzlichen schwarzen Trainers für das Team der USA; ein Verbot von Wettkämpfen zwischen Amerikanern und Mannschaften von Apartheidsländern wie Südafrika und Rhodesien; die Rückerstattung von Muhammad Alis Schwergewichtstitel und die Aufhebung der Rassentrennung im New York Athletic Club. Diese vorgeschlagenen Reformen fanden zunächst erstaunlich breite Unterstützung. Nach einem New Yorker Treffen von 1967 willigten Martin Luther King Jr. von SCLC und Floyd McKissick von CORE ein, für das Projekt als Berater tätig zu werden. Anfang 1968 versprach H. Rap Brown, der Vorsitzende von SNCC, die Unterstützung durch seine Organisation.

Speaking at a February rally in Oakland, SNCC and Black Panther leader Stokely Carmichael referred to the Olympics as "that white nonsense" and claimed that no black athlete "with any dignity" would go to Mexico City. Support also came from US's Ron Karenga and from scores of lesser-known black activists.

Despite the enthusiasm generated by these endorsements, it was obvious to all that the boycott movement faced a number of significant obstacles. Brundage, a wealthy, 80-year-old, retired engineering consultant who once was quoted as saying he would put his exclusive Santa Barbara Country Club up for sale before letting "niggers and kikes" become members, had been associated with the Olympics for 50 years. He was firmly entrenched within its power structure. Moreover, Brundage was placed on the defensive by Edwards' charges of racism. "You can quote me on this" he told one reporter, "I think there should be a qualified Negro on the USOC Board. I think Jesse Owens is a fine boy and might make a good representative. But, you must remember that all must be done according to rules and regulations." The elder statesman of the Olympic movement dismissed Edwards' followers as misguided young people who were "being badly misadvised."

Less polite opposition surfaced elsewhere. Payton Jordan, the U.S. Olympic track coach who explained that his Stanford University team included no black scholarship holders because making a special effort to recruit "colored boys" would discriminate against whites, called Edwards a "commie" and offered to pay his plane fare to Russia. "It's too bad," he lamented, "that the liberal loud-

Als der SNCC- und Black-Panther-Anführer Stokely Carmichael auf einer Demonstration im Februar in Oakland sprach, nannte er die Olympiade «diesen weißen Unsinn» und behauptete, kein schwarzer Sportler mit einem Bewusstsein von Würde werde nach Mexico City gehen. Unterstützung kam auch von Ron Karenga von US und Hunderten anderer weniger bekannter schwarzer Aktivisten.

Doch ungeachtet der durch diese Unterstützung ausgelösten Begeisterung zeigte es sich, dass der Boykottbewegung eine Menge bedeutender Hindernisse im Wege standen. Brundage, wohlhabender 80jähriger Ingenieursberater im Ruhestand, von dem einst der Ausspruch zitiert wurde, er würde seinen exklusiven Santa Barbara Country Club eher verkaufen, bevor er «Nigger und Drecksjuden» als Mitglieder aufnähme, war mit der Olympiade seit 50 Jahren verbunden. Er war in ihrer Machtstruktur fest verankert. Und nun sah er sich von Edwards' Rassismusbehauptung in die Defensive gedrängt. «Mit dem Folgenden können Sie mich zitieren», sagte er zu einem Journalisten. «Ich denke, dass wir einen qualifizierten Neger im USOC Board haben sollten. Ich denke, Jesse Owens ist ein guter Junge und könnte einen guten Repräsentanten abgeben. Aber man muss darauf achten, dass alles nach Regeln und Vorschriften abläuft.» Der gewiefte Politiker der olympischen Bewegung tat Edwards' Anhänger als fehlgeleitete junge Leute ab, die «sehr schlecht beraten» worden seien.

Anderswo zeigte sich der Widerstand weniger höflich. Payton Jordan, der Lauftrainer der USA, der erklärt hatte, seine Mannschaft an der Stanford Universität habe deswegen keine schwarzen Stipendiaten, weil der Aufwand für die Anwerbung «schwarzer Jungs» die Weißen diskriminieren würde, nannte Edwards einen «commie» [Kommunist] und bot an, ihm den Flug nach Russland zu bezahlen. «Es ist zu ärgerlich», beklagte er sich, «dass dieses liberale

mouth gets all the attention, and the person who speaks rationally is not heard."

Encouraged by newspaper headlines which screamed "Negro Hothead Threatens Games Boycott," opponents of the movement eventually descended fully into the gutter. Edwards' apartment was plastered with eggs and tomatoes. Sewage was dumped onto the seats of his car and the letters "KKK" scratched into the paint. Returning home late one evening, he found his living room and kitchen splattered with blood and dog hair. An intruder had used an ornamental machete to kill his pet terrier and peekapoo, scattering their remains about the neighborhood.

Soon, hate mail and death threats began pouring into the Olympic Project offices. "Dear Traitor," began one. "I'd rather have our country finish last, without you, than first with you." Others mocked the boycott effort: "Thanks for pulling out of the Olympic Games. Now I can again be interested in our U.S. team. I quit being interested in watching animals like Negroes go through their paces." Still others vilified the boycott proponents and expressed the hope that they would "get [their] bloody heads bashed in." Finally, in what must have been the ultimate insult, bribes of more than $125,000 were offered to Edwards if he would disavow the movement and call off the boycott.

Even before the Olympic trials began, it was apparent that such incidents had taken their toll. Believing that their cause would be harmed by the appearance of disunity, some athletes argued that there should be no boycott without the full participation of all blacks selected to the U.S.

Großmaul alle Aufmerksamkeit auf sich zieht und dass, wer vernünftig spricht, nicht gehört wird.»

Von reißerischen Schlagzeilen, wie «Negerhitzkopf droht mit Boykott der Spiele» ermutigt, zettelten die Gegner der Bewegung schließlich eine regelrechte Schlammschlacht an. Edwards' Wohnung wurde mit Eiern und Tomaten zugekleistert. Exkremente wurden auf die Sitze seines Autos gekippt, und die Buchstaben «KKK» [für Ku-Klux-Klan] in den Lack eingekratzt. Als er einmal spät nachts heimkam, fand er sein Wohnzimmer und seine Küche mit Blut und Hundehaaren verschmiert. Ein Eindringling hatte eine zur Dekoration aufgehängte Machete dazu verwandt, Edwards' Terrier und Pudel zu töten, um dann die Überreste [der Hunde] in der Nachbarschaft zu verstreuen.

Und nun kamen auch Hassbriefe und Todesdrohungen in das Büro des Olympia-Projekts. «Lieber Verräter», fing einer an, «lieber sähe ich unser Land ohne dich als letztes abschneiden, denn mit dir als erstes.» Andere machten sich über den Boykottversuch lustig: «Danke für den Rückzug von den Olympischen Spielen. Jetzt kann ich mich wieder für unsere US-amerikanische Mannschaft begeistern. Ich hatte mein Interesse daran verloren, seit Tiere wie Neger vorführen, was sie draufhaben.» Andere wiederum verleumdeten die Befürworter des Boykotts und drückten ihre Hoffnung aus, dass ihnen die «Köpfe blutig geschlagen werden sollten». Die schlimmste Beleidigung waren wohl die Bestechungsgelder von mehr als 125.000 Dollar, die Edwards angeboten wurden, falls er sich von der Bewegung abkehren und den Boykott absagen würde.

Noch bevor die olympischen Qualifikationswettkämpfe stattfanden, war klar, dass diese Vorfälle nicht ohne Folgen bleiben würden. In dem Bewusstsein, dass ihr Anliegen durch jeden Anschein von Uneinigkeit geschädigt würde, argumentierten manche Sportler, dass es ohne die Beteiligung sämtlicher für die US-amerikanische Mannschaft

team. When it was virtually certain that there was a significant division within their ranks, an alternative to the boycott was developed: athletes could compete, but would wear black armbands and refuse to participate in victory celebrations. Later it was agreed that all participants should protest in their own ways, preferably focusing their actions around the victory stand ceremonies.

Thus, the Black Power protest at Mexico City was manifested in a somewhat different fashion than originally planned. On 16 October 1968, Tommie Smith and John Carlos, two sprinters from San Jose State, mounted the awards platform to receive their gold and bronze medals. Both were shoeless and wore black, knee-length stockings and a black glove on one hand. Smith had a black scarf around his neck. When the band began to play the American national anthem, they sank chin to chest – seemingly to avoid looking at their country's flag. At the same time, their gloved fists shot skyward. Later, in an interview with Howard Cosell, Smith explained the symbolism of their actions. Their raised arms stood for the power and unity of black America. The black socks with no shoes symbolized the poverty that afflicted their black countrymen and women. Black pride was represented in Smith's scarf while the gesture of bowed heads was a remembrance of those like King and Malcolm X who had perished in the black liberation struggle.

Symbolic acts were neither appreciated nor tolerated by Avery Brundage and the IOC. Prior to the opening of the Games, he had warned all competitors that no political demonstrations would be permitted. As a result, the U.S. Olympic Com-

nominierten schwarzen Sportler keinen Boykott geben könne. Als es so gut wie sicher war, dass es eine tiefe Spaltung in ihren Reihen gab, wurde eine Alternative zum Boykott entwickelt: Sportler könnten an den Wettbewerben teilnehmen, aber sie sollten schwarze Armbinden tragen und die Teilnahme an Siegeszeremonien verweigern. Später kam man überein, dass jeder Teilnehmer auf seine eigene Art protestieren und dass alle Aktionen sich vorzugsweise auf die Zeremonien am Siegertreppchen konzentrieren sollten.

Der Black-Power-Protest manifestierte sich also in Mexico City auf eine andere Art als ursprünglich vorgesehen. Am 16. Oktober 1968 stiegen Tommie Smith und John Carlos, zwei Kurzstreckenläufer von San Jose State, auf das Siegertreppchen, um ihre Gold- und Bronzemedaillen entgegenzunehmen. Beide trugen keine Schuhe, dafür aber schwarze Kniestrümpfe und einen schwarzen Handschuh an einer Hand. Smith hatte einen schwarzen Schal um seinen Hals. Als die Musiker anhoben, die amerikanische Nationalhymne zu spielen, senkten sie ihr Kinn auf die Brust – anscheinend, um nicht auf die Flagge ihres Landes blicken zu müssen. Gleichzeitig reckten sie ihre behandschuhten Fäuste zum Himmel. Später, in einem Interview mit Howard Cosell, erklärte Smith die Symbolik ihrer Aktion. Der gereckte Arm stand für die Macht und Einheit des schwarzen Amerika. Die schwarzen Socken ohne Schuhe wiesen auf die Armut hin, unter der ihre schwarzen Landsleute litten. Der schwarze Stolz wurde von Smiths Schal repräsentiert, und die Geste der gebeugten Köpfe war eine Erinnerung an alle, die wie Martin Luther King und Malcolm X im schwarzen Befreiungskampf umgekommen waren.

Solche symbolischen Akte wurden von Avery Brundage und dem IOC weder anerkannt noch geduldet. Vor der Eröffnung der Spiele hatte er allen Teilnehmern warnend erklärt, dass keine politischen Demonstrationen erlaubt seien. Folglich entschied das US-amerikanische olympische

mittee moved quickly to suspend Smith and Carlos, ordering them to leave U.S. quarters in the Olympic Village. But this did not end the Olympic Project protest. Following the expulsion of Smith and Carlos, all three U.S. medalists in the 400-meter dash wore black berets on the victory stand, avoiding censure by removing them for the playing of the national anthem. The world-record-breaking 1,600-meter relay team wore black berets and gave a clenched-fist salute. Broad jumpers Bob Beamon and Ralph Boston stood shoeless, wearing long black socks to protest both the black condition in America and the treatment of their teammates. In accepting her gold medal for anchoring the women's 400-meter relay team, Wyomia Tyus announced that their victory was being dedicated to the two San Jose State athletes.

Harry Edwards had harsh words for those who refused to participate in the Olympic protest. Prior to the Games, he labeled them cop-outs – members of "a controlled generation." His office at San Jose State even had a "Traitor (Negro) Of The Week" poster upon which he displayed pictures of former Olympians such as Jesse Owens and Rafer Johnson who had declined to join the Project. Nevertheless, the boycott organizer recognized that the problem was more than generational. It was rooted in the pervasive, compelling influence of the cultural forces which socialized all Americans and which gave them their understandings of the relationship of sports to society. He believed that one of the greatest obstacles to the realization of his Black Power agenda had been Afro-America's own "highly illusionary perspective on sports." According to Edwards, white America had a firm headlock

Komitee, Smith und Carlos sofort zu suspendieren, und befahl ihnen, das amerikanische Quartier im olympischen Dorf zu verlassen. Aber dies setzte dem Protest des Olympia-Projekts kein Ende. Nach dem Ausschluss von Smith und Carlos trugen alle drei US-amerikanischen Medaillengewinner im 400-Meter-Lauf auf dem Siegertreppchen schwarze Baskenmützen; sie nahmen sie jedoch, um der Maßregelung zu entgehen, ab, bevor die Nationalhymne gespielt wurde. Die Weltrekordmannschaft der 1600-m-Staffel trug schwarze Baskenmützen und grüßte mit geballten Fäusten. Die Weitspringer Bob Beamon und Ralph Boston standen ohne Schuhe da und protestierten, indem sie schwarze Kniestrümpfe trugen, gegen die Situation der Schwarzen in Amerika und die Behandlung ihrer Mannschaftskameraden. Wyomia Tyus verkündete, dass ihr Sieg den zwei Sportlern von San Jose State gewidmet sei, als sie ihre Goldmedaille für die Führung der Damenmannschaft im 400-m-Staffellauf entgegennahm.

Harry Edwards rügte diejenigen, die sich weigerten, an dem Protest teilzunehmen, mit scharfen Worten. Vor den Spielen nannte er sie Ausweichler, Mitglieder einer «kontrollierten Generation». In seinem Büro bei San Jose State hing sogar ein Poster des «(Neger)-Verräters der Woche», auf dem er Fotos früherer Olympioniken wie Jesse Owens und Rafer Johnson zur Schau stellte, die es abgelehnt hatten, sich dem Projekt anzuschließen. Der Boykott-Organisator erkannte jedoch, dass hier mehr als ein Generationenproblem vorlag. Hier zeigte sich der allgegenwärtige und machtvolle Einfluss kultureller Kräfte, die alle Amerikaner miteinander verbanden und ihrem Verständnis von Sport und Gesellschaft zugrunde lagen. Er glaubte, dass ein Haupthindernis für die Verwirklichung seines Black-Power-Programms die «stark illusionäre Sichtweise des Sports» durch Afro-Amerika gewesen war. Gemäß Edwards hatte das weiße Amerika die Schwarzen im Sport-

on blacks in the sports arena. Black Americans had been brainwashed so long and so completely about sports' supposedly beneficent role in their lives that the very idea of using athletics as a forum for protest seemed mystifying to some, and criminal or treasonous to others. Most, he said, refused to believe that big-time sports had become a "political and cultural malignancy" whose power and influence inhibited the personal and institutional development of black America.

In the end, had any good come from the black activists' personal sacrifice? Was their campaign worth the effort? It is likely that during times of reflection, Edwards and his allies pondered such questions. Despite many painful memories, they must have been encouraged when they recalled the young people whose perspectives had been altered by their contact with the Olympic Project. These men and women, as well as many others throughout the land, now knew of the game plan constructed by sports' kingmakers, how it operated, and where its weaknesses lay. They also had come to recognize the importance of sports both as entertainment and as a shaper of personal and societal values. Most of all, through the Olympic Project, many had become transformed, empowered individuals. On the eve of the Mexico City Games, boycott spokesperson Lee Evans described the effects of this transformation. "A few years ago," he told a journalist, "I didn't know what was happening. My white junior college coach used to tell colored boy jokes and I'd laugh. Now I'd kick his ass." The Olympic boycott struck a nerve, rudely informing both white and black alike that the Black Power movement would not be confined

stadion im Schwitzkasten. Schwarze Amerikaner waren so lange einer so gründlichen Gehirnwäsche über die angeblich für ihr Leben vorteilhafte Rolle des Sports unterzogen worden, dass der Gedanke, den Sport als ein Forum für Protest zu nutzen, manchen fragwürdig, anderen kriminell oder verräterisch erschien. Die meisten, sagte er, weigerten sich zu glauben, dass das große Sportgeschäft ein «politisches und kulturelles Übel» geworden war, dessen Macht und Einfluss die persönliche und institutionelle Entwicklung des schwarzen Amerika behinderte.

Haben die persönlichen Opfer der schwarzen Aktivisten schließlich etwas Gutes bewirkt? War ihre Kampagne den Aufwand wert? Wahrscheinlich dachten Edwards und seine Verbündeten in stillen Stunden über diese Fragen nach. Vielen schmerzlichen Erinnerungen zum Trotz müssen sie beim Gedanken an die jungen Leute, deren Vorstellungen durch die Begegnung mit dem Olympia-Projekt verändert worden waren, ermutigt worden sein. Diese Männer und Frauen, wie auch viele andere im ganzen Land, kannten jetzt den von den Königsmachern des Sports entworfenen Spielplan, sie wussten, wie er funktionierte und wo seine Schwächen lagen. Sie hatten die Bedeutsamkeit des Sports als Unterhaltung wie auch als Prägung persönlicher und gesellschaftlicher Werte erkannt. Vor allem waren viele Menschen durch das Olympia-Projekt zu starken Persönlichkeiten geworden. Am Vorabend der Spiele von Mexico City beschrieb der Boykott-Sprecher Lee Evans die verändernde Wirkung: «Vor ein paar Jahren», sagte er einem Journalisten, «wusste ich nicht, was um mich herum geschah. Mein weißer Trainer im Junior College erzählte immer Witze von farbigen Jungen, und ich lachte. Heute würde ich ihm in den Arsch treten.» Der Olympia-Boykott hatte einen Nerv getroffen. Er hatte Weiße genauso wie Schwarze unsanft darauf aufmerksam gemacht, dass die Black-Power-Bewegung sich nicht auf Politik und

to matters of politics or education, but would percolate throughout all areas of American social and cultural life.

Bildungsfragen beschränken ließ, sondern alle Bereiche des kulturellen und sozialen Lebens Amerikas durchdringen würde.

Robin D. G. Kelley: Nap Time: Historicizing the Afro

Whenever I see an Afro, whether in photographs or on live human beings, nostalgic for the days of ghetto rebellion and black counterculture, the CD player in my brain always kicks into an imaginary soundtrack. Sometimes it's the theme from "Shaft" or "Superfly"; other times it's just some generic blaxploitation background music – the funky bass, incessant wah-wah guitar, heavy back beat, screaming saxophone or flute. More than dashikis, platform shoes, black berets and leather jackets, the Afro has clearly been the most powerful symbol of Black Power style politics. Although hair had long been a site of contestation within black communities and between African Americans and the dominant culture, the Afro, unlike any other style, put the issue of hair squarely on the political agenda. Indeed, the debate over the meaning of the Afro found its way into mainstream newspaper and scholarly journals, involving a diverse array of black intellectuals.

Unfortunately, these debates shed little light on the Afro's history or the ways in which its meaning changed over time. On the contrary, the very discourse that endowed the Afro with political meaning has also profoundly obscured crucial aspects of the style's history that might call into question its Black Power roots. The framing of the Afro in popular culture has made it impossible for many contemporary writers to see beyond the raised-fisted militant attired in black turtlenecks or faux African garb. Most commentators repeat the time-worn narrative linking the Afro to the mas-

Robin Kelley: Die krause Geschichte des Afro

Immer wenn ich einen Afro sehe, auf Fotos oder an lebenden Menschen, denke ich mit Wehmut an die Tage der Ghetto-Rebellion und der schwarzen Gegenkultur, und der CD-Spieler in meinem Kopf springt auf eine imaginäre Filmmusik um. Manchmal ist es die Titelmusik von «Shaft» oder «Superfly»; manchmal ist es einfach irgendeine allgemeine *Blaxploitation*-Hintergrundmusik, ein funkiger Bass, eine unablässige Wah-Wah-Gitarre, ein fetter Grundrhythmus, ein schreiendes Saxophon oder eine Flöte. Mehr als Batikhemden, Plateauschuhe, schwarze Baskenmützen und Lederjacken war der Afro das eindeutig kraftvollste Symbol der Stilpolitik der Black-Power-Bewegung. Frisuren waren seit langem ein Streitpunkt innerhalb schwarzer Gemeinschaften und zwischen Afro-Amerikanern und der Mehrheitskultur. Doch anders als jeder andere Stil machte der Afro die Haare direkt zum politischen Tagesthema. Und wirklich: Schwarze Intellektuelle der verschiedensten Richtungen beteiligten sich an der Diskussion um die Bedeutung des Afro, die so ihren Weg in große Zeitungen und gelehrte Zeitschriften fand.

Leider wirft diese Diskussion wenig Licht auf die Geschichte des Afro und darauf, wie sich seine Bedeutung im Laufe der Zeit verändert hat. Im Gegenteil, derselbe Diskurs, der dem Afro politische Bedeutung verlieh, hat entscheidende Aspekte der Stilgeschichte, die seine Black-Power-Wurzeln in Frage stellen könnten, vollkommen verdunkelt. Der popkulturelle Rahmen des Afro hat es vielen zeitgenössischen Autoren unmöglich gemacht, weiter zu blicken als bis zum Kämpfer mit erhobener Faust im schwarzen Rollkragenpullover oder in pseudoafrikanischer Tracht. Die meisten Kommentatoren wiederholen die alte Geschichte, die den Afro mit Macho-Rhetorik und dem

culinist rhetoric and iconography of Black Power. As a result, the Afro's long-standing association with post-1966 black militancy has become "common sense" in the world of hair scholarship. Like the Afro itself, the basic contours of the story remain unchanged even if some details differ. The purpose of this brief essay, then, is to explore the perils of a "politics of style" approach that views the Afro through the limited lens of mid-1960s, phallocentric black nationalist politics and offer an alternative narrative that considers the experiments of black women intellectuals of an earlier era as well as the efforts by black hair professionals to write their own histories of the Afro.

Most "cultural politics" approaches start with styles that have radical intentions but are ultimately domesticated and depoliticized by the market-place. We see this with the zoot suit, ripped and bleached jeans, punk and grunge styles, to name a few. And, to a certain degree, we can see this with the Afro. As Kobena Mercer points out in his brilliant essay, *Black Hair/Style Politics*:

"Once commercialized in the market-place the Afro lost its specific signification as a 'black' cultural-political statement. Cut off from its original political contexts, it became just another fashion: with an Afro wig anyone could wear the style. Now the fact that it could be neutralized and incorporated so quickly suggests that the aesthetic interventions of the Afro operated on terrain already mapped out by the symbolic codes of the dominant white culture. The Afro not only echoed aspects of romanticism, but shared this in common with the 'counter-cultural' logic of long hair among white youth in the 1960s."

Grundgerüst von Black Power verbindet. Der altbekannte Zusammenhang zwischen Afro und schwarzem Kampfgeist nach 1966 wurde folglich ein Gemeinplatz in der Welt der Wissenschaft vom Haar. Die wesentlichen Grundzüge der Geschichten über den Afro sind, wie der Afro selbst, immer gleich, nur Details stimmen manchmal nicht überein. Es ist deshalb das Ziel dieses kurzen Aufsatzes, die Gefahren eines «Stilpolitik»-Ansatzes zu erkunden, der den Afro durch die enge Linse der phallozentrischen schwarznationalistischen Politik Mitte der sechziger Jahre betrachtet, und eine alternative Darstellung anzubieten, die die vorausgegangenen Versuche schwarzer weiblicher Intellektueller sowie die Bemühungen schwarzer Frisöre, ihre eigene Geschichte des Afro zu schreiben, berücksichtigt.

Die meisten «Kulturpolitik»-Ansätze beginnen mit Stilen, die radikale Absichten haben, doch schließlich vom Markt gezähmt und entpolitisiert werden. Wir sehen das am *Zoot Suit*, an zerrissenen und gebleichten Jeans, am Punk und am *Grunge*-Stil, um nur ein paar zu nennen. Bis zu einem bestimmten Grad kann man das auch am Afro sehen. Kobena Mercer drückt das in ihrem brillanten Aufsatz: *Schwarze Haare – Stilpolitik* folgendermaßen aus:

«Sobald der Afro vom Markt kommerzialisiert worden war, verlor er seine Bedeutung als ‹schwarze› kulturpolitische Stellungnahme. Von seinem ursprünglich politischen Sinn abgeschnitten, wurde er einfach ein weiterer Modetrend: Mit einer Afro-Perücke konnte jeder beliebige den Stil tragen. Die Tatsache, dass der Afro so schnell seine Aussagekraft verlor und vereinnahmt werden konnte, legt nahe, dass der Afro mit seiner Ästhetik ein Gebiet aufmischte, das schon von der herrschenden weißen Kultur abgesteckt worden war. Nicht nur hatte der Afro einen Anflug von Romantik, er teilte dies mit dem ‹gegenkulturellen› Sinn der langen Haare, wie sie von weißen Jugendlichen in den sechziger Jahren getragen wurden.»

Of course, whether the depoliticization of the Afro is the result of its debt to "the symbolic codes of the dominant white culture" or of capitalism's amazing ability to turn anything into a commodity, is debatable. But the debate itself depends on our accepting the "taming of the bush" narrative. The evidence suggests that the story is a bit more complicated.

The Afro has partial roots in bourgeois high-fashion circles in the late 1950s and was seen by the black and white élite as a kind of new female exotica. Even though the intention, among some circles at least, was toward achieving healthier hair and expressing solidarity with newly independent African nations, it entered public consciousness as a mod fashion statement that was not only palatable to bourgeois whites but, in some circles, celebrated. There were people like Lois Liberty Jones, a consultant, beauty culturist and lecturer, who claimed to have pioneered the "natural" as early as 1952! She originated "Coiffures Aframericana," concepts of hair styling that she practiced in Harlem for several years from the early 1960s. More importantly, it was the early, not the late, 1960s when women like Odetta, Miriam Makeba, Abbey Lincoln, Nina Simone and Margaret Burroughs began wearing the "*au naturel*" style – medium to short Afros. Writer Andrea Benton Rushing has vivid memories of seeing Odetta at the Village Gate long before Black Power entered the national lexicon. "I was mesmerized by her stunning frame," she recalled, "in its short kinky halo. She had a regal poise and power that I had never seen in

Natürlich kann man darüber streiten, ob die Entpolitisierung des Afro dadurch ausgelöst wurde, dass er «auf einem von der herrschenden weißen Kultur abgesteckten Gebiet» operierte, oder ob sie die Folge der unglaublichen Fähigkeit des Kapitalismus war, alles in Waren zu verwandeln. Die Diskussion hängt davon ab, ob wir uns die Mär von der «Zähmung des Busches» zu eigen machen. Die Geschehnisse legen eine etwas kompliziertere Geschichte nahe.

Der Afro hat einige seiner Wurzeln in den todschicken bürgerlichen Kreisen der späten fünfziger Jahre und wurde sowohl von der schwarzen wie von der weißen Elite als eine Art neuer weiblicher Extravaganz angesehen. Obwohl es, zumindest in manchen Kreisen, beabsichtigt war, gesundes Haar zu haben und zugleich Solidarität gegenüber den jüngst unabhängig gewordenen afrikanischen Staaten zu zeigen, trat er doch als ein Beitrag zur Eleganz ins öffentliche Bewusstsein, der von bürgerlichen Weißen nicht nur akzeptiert, sondern mitunter sogar gefeiert wurde. Es gab Leute wie Lois Liberty Jones, eine Schönheitsberaterin, -pflegerin und -dozentin, die behauptete, dem «natural» den Weg schon 1952 gebahnt zu haben! Sie schuf «Coiffures Aframericana», Leitlinien der Frisörkunst, nach denen sie in Harlem einige Jahre während der frühen Sechziger arbeitete. Wichtiger noch ist, dass Frauen wie Odetta, Miriam Makeba, Abbey Lincoln, Nina Simone und Margaret Burroughs den *«au naturel»*- Stil – kurze bis mittellange Afros – in den frühen, nicht den späten sechziger Jahren zu tragen begannen. Die Autorin Andrea Benton Rushing kann sich lebhaft erinnern, schon lange bevor Black Power ins nationale Lexikon aufgenommen wurde, Odetta im Village Gate gesehen zu haben. «Ich war elektrisiert von ihrem erstaunlichen Umriss», erinnert sie sich, «diesem kurzen krausen Heiligenschein. Sie hatte eine königliche Haltung und Ausstrahlung, die ich noch nie zuvor an einer

a 'Negro' (as we called ourselves back then) woman before – no matter how naturally 'good' or diligently straightened her hair was". Many other black women in New York, particularly those who ran in the interracial world of Manhattan sophisticates, were first introduced to the natural through high-fashion models in "*au naturel*" shows, which were all the rage at the time.

Helen Hayes King, associate editor of *Jet*, came in contact with the "*au naturel*" style at an art show in New York, in the late 1950s. A couple of years later, she heard Abbey Lincoln speak about her own decision to go natural at one of these shows and, with prompting from her husband, decided to go forth and adopt the 'fro. Ironically, one of the few salons in Chicago specializing in the "*au naturel*" look was run by a white male hairdresser in the exclusive Northside community. He actually lectured King on the virtues of natural hair: "I don't know why Negro women with delicate hair like yours burn and process all the life out of it... If you'd just wash it, oil it and take care of it, it would be so much healthier... I don't know how all this straightening foolishness started anyhow." When she returned home to the Southside, however, instead of compliments she received strange looks from her neighbors. Despite criticism and ridicule by her coworkers and friends, she stuck with her *au naturel* – not because she was trying to make a political statement or demonstrate her solidarity with African independence movements. "I'm not so involved in the neo-African aspects of the *au naturel* look," she wrote, "nor in the get-back-to-your-heritage bit...". Her explanation was

Negerin (wie wir uns damals nannten) gesehen hatte, unabhängig davon, ob ihr Haar ‹von Natur aus gut› oder sorgfältig geglättet war.» Viele andere schwarze Frauen, insbesondere innerhalb der gemischtrassigen Szene von Manhattan, lernten den natürlichen Stil durch Topmannequins kennen, in «*au-naturel*»-Schauen, die damals der Renner waren.

Helen Hayes King, Mitherausgeberin von *Jet*, kam in den späten fünfziger Jahren bei einer Kunstausstellung in New York mit dem «*au-naturel*»-Stil in Berührung. Einige Jahre später hörte sie, wie Abbey Lincoln von ihrer Entscheidung sprach, auf einer dieser Ausstellungen im natürlichen Stil zu erscheinen, sie beschloss dann, auch angetrieben von ihrem Mann, vorzupreschen und sich den 'fro zu eigen zu machen. Ironischerweise wurde einer der wenigen Frisiersalons, die in Chicago auf den «*au-naturel*»-Look spezialisiert waren, von einem weißen Mann in der exklusiven Northside-Gegend geführt. Dieser Mann belehrte Helen Hayes King über die Vorzüge von natürlichem Haar: «Ich weiß nicht, warum Negerinnen mit feinem Haar wie dem Ihren die ganze Lebendigkeit aus ihm herausbrennen und es behandeln. ... Wenn Sie es nur waschen, ölen und pflegen würden, wäre das viel gesünder. ... Ich weiß sowieso nicht, wie diese ganze Dummheit mit dem Glätten angefangen hat.» Als sie jedoch nach Hause auf die Southside zurückkehrte, erntete sie statt Komplimenten nur seltsame Blicke von ihren Nachbarn. Der Kritik und dem Spott ihrer Kollegen und Freunde zum Trotz blieb sie bei ihrem «*au naturel*» – und zwar nicht etwa weil sie versuchte, eine politische Aussage zu machen oder ihre Solidarität mit den afrikanischen Unabhängigkeitsbewegungen zu beweisen. «Die neo-afrikanischen Aspekte des *au-naturel*-Look sind mir nicht so wichtig», schrieb sie «und ebensowenig die Parole ‹Besinn dich auf dein kulturelles Erbe›.» Ihre

simple: the style was chic and elegant and in the end she was pleased with the feel of her hair. It is fitting to note that most of the compliments came from whites.

What is also interesting about King's narrative is that it appeared in the context of a debate with Nigerian writer Theresa Ogunbiyi over whether black women should straighten their hair or not, which appeared in a 1963 issue of *Negro Digest*. In particular, Ogunbiyi defended the right of a Lagos firm to forbid employees to plait their hair (women were required to wear straight hair). She rejected the idea that straightening hair destroys national custom and heritage: "I think we carry this national pride a bit too far at times, even to the detriment of our country's progress." Her point was that breaking with tradition *is* progress, especially since Western dress and hairstyles are more comfortable and easier to work in. "When I wear the Yoruba costume, I find that I spend more time than I can afford re-tying the head tie and the bulky wrapper round my waist. And have you tried typing in an 'Agbada'? I am all for nationalisation, but give it to me with some comfort and improvement".

Andrea Benton Rushing's story is a slight variation on King's experience. She, too, was a premature natural hair advocate. When she stepped out of the house sporting her first Afro, perhaps inspired by Odetta or prompted by plain curiosity, her "relatives thought I'd lost my mind and, of course, my teachers at Juilliard stole sideways looks at me and talked about the importance of appearance in auditions and concerts." Yet, while the white Juilliard faculty and her closest family

Erklärung war einfach: Der Stil war schick und elegant, und sie war endlich zufrieden damit, wie ihre Haare sich anfühlten. Übrigens muss man festhalten, dass die meisten Komplimente von Weißen kamen.

An Helen Hayes Kings Geschichte ist auch interessant, dass sie im Zusammenhang einer Auseinandersetzung mit der nigerianischen Schriftstellerin Theresa Ogunbiyi publiziert wurde, in der es darum ging, ob schwarze Frauen ihre Haare glätten sollten oder nicht, und zwar 1963 in einer Ausgabe von *Negro Digest*. Theresa Ogunbiyi verteidigte dort insbesondere das Recht einer Firma aus Lagos, ihren Angestellten zu verbieten, sich die Haare zu flechten (Frauen mussten glatte Haare tragen). Sie verwarf die Idee, dass das Glätten von Haaren nationale Bräuche und das kulturelle Erbe zerstöre: «Ich glaube, wir gehen mit diesem Nationalstolz manchmal zu weit, selbst zum Nachteil des Fortschritts unseres Landes.» Ihrer Meinung nach war ein Bruch mit der Tradition ein Fortschritt, insbesondere da westliche Kleidung und Haartracht bequemer und einfacher für die Arbeit sind. «Wenn ich Yoruba-Tracht trage, finde ich, dass ich mehr Zeit, als ich mir leisten kann, damit verbringe, meine Kopfschleife und den dicken Taillenwickel zu knoten. Und haben Sie mal versucht, in einer ‹Agbada› zu tippen? Ich bin ganz für Nationalisierung, aber macht sie mir ein bisschen bequemer und fortschrittlicher.»

Andrea Benton Rushings Geschichte ist eine geringfügig andere Version von Helen Hayes Kings Erfahrung. Auch sie war eine frühe Verfechterin natürlicher Haare. Als sie, ihren ersten Afro zur Schau tragend, aus dem Haus trat, möglicherweise von Odetta angeregt oder einfach von Neugier getrieben, «dachten meine Verwandten, ich hätte den Verstand verloren, und natürlich sahen mich meine Lehrer an der Juilliard Schule [für Musik] schief an und sprachen über die Wichtigkeit des Auftretens beim Vorsingen und in Konzerten.» Während die weiße Professorenschaft der

members found the new style strange and inappropriate, brothers on the block in her New York City neighborhood greeted her with praise: "Looking good, sister," "Watch out, African queen!" She, too, found it ironic that middle-class African women on the continent chose to straighten their hair. During a trip to Ghana years later, she recalled the irony of having her Afro braided in an Accra beauty parlor while "three Ghanaians (two Akan-speaking government workers and one Ewe microbiologist)... were having their chemically-straightened hair washed, set, combed out, and sprayed in place".

No matter what spurred on the style or who adopted it, however, the political implications of the "*au naturel*" could not be avoided. After all, the biggest early proponents of the style tended to be women artists such as Abbey Lincoln, Odetta, and Nina Simone whose work identified with the black freedom movement and African liberation. In some respects, these women were part of what might be called Black Bohemia. They participated in a larger community – based mostly in New York – of black poets, writers, musicians of the 1950s, for whom the emancipation of their own artistic form coincided with the African freedom movement. It was the age of Mau Mau, armed struggle in the Cameroon, independence for Kwame Nkrumah's Ghana, the famous meeting of "Non-Aligned" nations in Bandung, Indonesia, the formation of the American Society of African Culture (AMSAC), the creation of the Organization of African Unity. *Ebony, Jet*, and *Sepia* magazines were covering Africa, and African publications such as *Drum* were being read by those

Juilliard Schule und ihre engsten Familienmitglieder den neuen Stil seltsam und unpassend fanden, grüßten sie die Kumpels vom selben Häuserblock in ihrem New Yorker Viertel mit Bewunderung: «Du siehst gut aus, Schwester.» «Achtung, eine afrikanische Königin!» Auch Andrea Benton Rushing fand es paradox, dass bürgerliche Frauen in Afrika es vorzogen, sich die Haare zu glätten. Auf einer Reise nach Ghana, Jahre später, erlebte sie die paradoxe Situation, dass sie sich in einem Schönheitssalon in Accra ihren Afro flechten ließ, während «drei Ghanaerinnen (zwei Akan sprechende Regierungsangestellte und eine Ewe-Mikrobiologin) sich ihre chemisch geglätteten Haare waschen, legen, kämmen und in Form sprayen ließen.»

Unabhängig davon, was dem Stil seinen Schwung verlieh und wer ihn sich zulegte, die politischen Konsequenzen des *«au-naturel»* konnten einfach nicht übersehen werden. Die wichtigsten frühen Verfechter des Stils waren schließlich Künstlerinnen wie Abbey Lincoln, Odetta und Nina Simone, deren Arbeit sich mit der schwarzen Befreiungsbewegung und der Befreiung Afrikas identifizierte. In mancher Hinsicht gehörten diese Frauen zu dem, was man die schwarze Bohème nennen könnte. Sie waren in den fünfziger Jahren Teil einer größeren, vor allem New Yorker Gruppe schwarzer Dichter, Schriftsteller und Musiker, für die das Freiwerden ihres eigenen Künstlertums mit der afrikanischen Befreiungsbewegung zusammenfiel. Es war das Zeitalter der Mau Mau, des bewaffneten Kampfes in Kamerun, der Unabhängigkeit von Kwame Nkrumahs Ghana, des berühmten Treffens der «blockfreien» Staaten in Bandung, Indonesien, der Bildung der *American Society of African Culture (AMSAC)* und der Schaffung der *Organization of African Unity*. Die Zeitschriften *Ebony, Jet* und *Sepia* brachten Artikel über Afrika, und afrikanische Veröffentlichungen wie *Drum* wurden von den Ex-Negern in den Staaten gelesen, wenn sie sie in die Finger kriegen

ex-Negroes in the States who could get their hands on them. The Civil Rights movement, the struggle against apartheid in South Africa, the emergence of newly independent African nations, find voice in Randy Weston's *Uhuru Africa*, Max Roach's *We Insist: Freedom Now Suite* (featuring Abbey Lincoln, Roach's wife); Art Blakey's *Message from Kenya* and *Ritual*, Sonny Rollins *Airegin*, and Coltrane's *Liberia, Dahomey Dance*, and *Africa*. All these pieces were written between 1953 and 1961. The rekindling of black solidarity with Africa, particularly among Black Bohemia, was not just a matter of bloodlines; on the contrary, it was a matter of blood spilled. Revolutionary political movements, combined with revolutionary experiments in artistic creation – the simultaneous embrace and rejection of tradition – forged the strongest physical and imaginary links between Africa and the Diaspora. Thus, it is not surprising that Harold Cruse, in one of his seminal essays on the coming of the new black nationalism, anticipated the importance of the style revolution and the place of the "*au naturel*" in it. As early as 1962, Cruse predicted that in the coming years "Afro-Americans… will undoubtedly make a lot of noise in militant demonstrations, cultivate beards and sport their hair in various degrees of *la mode au naturel*, and tend to be cultish with African- and Arab-style dress".

Of course, he was right. By the mid-1960s, however, the Afro was no longer associated with downtown chic but with uptown rebellion. It was sported by rock-throwing black males and black-leathered militants armed to the teeth. Thus, once associated with feminine chic, the Afro suddenly became the symbol of black manhood, the death of the "Negro"

konnten. Die Bürgerrechtsbewegung, der Kampf gegen die Apartheid in Südafrika, die Entstehung neuerdings unabhängiger afrikanischer Staaten fanden ihre Stimme in Kompositionen von Randy Weston (*Uhuru Africa*), Max Roach (*We Insist: Freedom Now Suite*, mit Abbey Lincoln, Roachs Frau); Art Blakey (*Botschaft aus Kenia* und *Ritual*), Sonny Rollins (*Airegin*) und Coltrane (*Liberia, Dahomey Tanz* und *Afrika*). Alle diese Musikstücke wurden zwischen 1953 und 1961 geschrieben. Die Wiederbelebung schwarzer Solidarität mit Afrika, besonders innerhalb der schwarzen Bohème, hatte weniger mit Blutsverwandtschaft zu tun als vielmehr mit vergossenem Blut. Revolutionäre politische Bewegungen, in Verbindung mit revolutionären Experimenten in der Kunst, sowie die gleichzeitige Annahme und Ablehnung von Tradition – das war es, was die stärkste physische und imaginäre Bindung zwischen Afrika und seiner Diaspora schmiedete. Es ist also nicht überraschend, dass Harold Cruse, in einem seiner bahnbrechenden Aufsätze über das Heraufziehen eines neuen schwarzen Nationalismus, die Wichtigkeit einer Stilrevolution und darin den Platz des «*au naturel*» vorwegnahm. Schon 1962 sagte Cruse voraus, Afro-Amerikaner würden in den folgenden Jahren zweifellos eine Menge Lärm in kämpferischen Demonstrationen machen, sich Bärte wachsen lassen, ihr Haar in unterschiedlichen Formen der «*la mode au naturel*» zur Schau tragen und um Kleidung im afrikanischen oder arabischen Stil einen Kult treiben.

Er hatte natürlich recht. Ab Mitte der sechziger Jahre wurde der Afro nicht mehr mit Downtown-Schick in Verbindung gebracht, sondern mit Uptown-Rebellion. Steine werfende schwarze Männer und bis auf die Zähne bewaffnete Kämpfer in schwarzem Leder trugen ihn. So bedeutete der einst mit femininem Schick in Verbindung gebrachte Afro nunmehr schwarze Männlichkeit, das Ende

and birth of the militant, virulent Black man. The new politics led to new narratives that sought to explain the symbolic significance of the natural style. The power of the text and oral narratives, the power of political movements themselves, allowed militants and hairstylists alike (often one and the same) to invest the Afro with new political meanings.

During the late 1960s and early 1970s, dozens of books, dissertations and manuals appeared that literally re-wrote the history of the Afro – erasing its roots in the *"au naturel"* fashion movement. Several of these books were written by black barbers and hairdressers who had been politicized or were longtime advocates of natural hair. One such author insisted that "The Afro was a serious setback for the perpetrators of Anglo-Saxonism." Another described the Afro as "a matter of reclaiming our soul". In virtually all of these narratives, the Afro either originated in the mid-1960s (during or after the Watts uprisings) or could be traced to precolonial Africa and was then resurrected in the mid-1960s. However, contrary to many contemporary cultural studies scholars who assume that all black nationalist constructions of culture automatically assume a singular "blackness," the authors of most of these books emphasized the diversity of African hairstyles and hair textures, and some even admitted that various African ethnic groups used mud to slick down their hair. In a fascinating book titled *400 Years Without a Comb*, barber Willie Morrow (who is also the author of two additional small books, *Curly Hair* and *Curly Hair and Black Skin*), talks at length about the

des «Negers» und die Geburt des kämpferischen, virilen schwarzen Mannes. Die neue Politik ließ neue Geschichten entstehen, die die symbolische Aussage des natürlichen Stils zu erklären suchten. Die Macht von geschriebenem Wort und mündlicher Erzählung, die Macht politischer Bewegungen selbst erlaubte es den Kämpfern und Frisören (sie waren oft ein und dieselbe Person), dem Afro neue politische Bedeutungen beizulegen.

Während der späten sechziger und frühen siebziger Jahre erschienen Dutzende Bücher, Dissertationen und Handbücher, die die Geschichte des Afro buchstäblich neu schrieben – sie beraubten ihn seiner Wurzeln in der «*au naturel*»-Modebewegung. Einige dieser Bücher wurden von schwarzen Herren- oder Damenfrisören geschrieben, die entweder politisch engagiert waren oder seit langem natürliches Haar verfochten. Ein solcher Autor bestand darauf, dass «der Afro ein ernsthafter Rückschlag für die hartnäkkigen Anhänger des Anglo-Saxonismus» war. Ein anderer beschrieb den Afro als «eine Gelegenheit, unsere Seele zurückzufordern». So gut wie allen diesen Darstellungen zufolge entstand der Afro entweder Mitte der sechziger Jahre (während oder nach dem Aufstand von Watts) oder er konnte auf das vorkoloniale Afrika zurückgeführt werden und wurde dann Mitte der sechziger Jahre wieder zum Leben erweckt. Doch im Gegensatz zu vielen zeitgenössischen Kulturwissenschaftlern, die annehmen, dass allen schwarzen nationalistischen Kultur-Erscheinungen automatisch ein einziges «Schwarz-Sein» zugrundeliegt, unterstrichen die Autoren der meisten dieser Bücher den Abwechslungsreichtum afrikanischer Frisuren und Haarstrukturen: Manche gaben sogar zu, dass eine Reihe ethnischer Gruppen Schlamm benutzte, um ihr Haar zu glätten. In einem fesselnden Buch mit dem Titel *400 Jahre ohne Kamm* spricht der Herrenfrisör Willie Morrow (Autor zweier weiterer kleiner Bücher: *Krauses Haar* und *Krauses Haar und*

diversity of styles: the common use of flowers, braids, clay to create a sculpted, matted look. The book itself, he tells us, grows out of his "desire to expose the black man's struggle for identity through his hair." Likewise, in *All About the Natural*, written by Lois Liberty Jones and John Henry Jones and published by Clairol, the diversity of the African past is a central theme. They discuss dyeing and bead work and braiding, but insist that "nowhere was seen the attempt to artificially straighten or change the natural flow of the hair. Why? Because here at the scene of humanity's birth, traditions were established long before white men came to divide and enslave the unsuspecting people, long before Africa had ever seen a white man."

For Willie Morrow, the tragic event which led to the "bondage" of black hair was the loss of the comb. Like the drum, the African comb or pick was an essential part of African culture. It was not only the most important tool for hair grooming; the comb was a work of art, handcarved for the individuals and a crucial part of one's identity. Morrow even argued that the lack of proper hair grooming tools was a major source of black self-hatred. Not only did slaves use harmful products like axle grease and lard on their hair and scalp, but the small-toothed comb of the master damaged many heads.

"Black children learned early in life that the [European] comb hurt and got tangled in curls. So painful was this experience to black boys and girls, that they avoided getting their hair

schwarze Haut) ausführlich über die Mannigfaltigkeit der Stile: die verbreitete Verwendung von Blumen, von Zöpfen und von Ton, um ein plastisches und mattes Aussehen zu erzielen. Das Buch selbst, so erzählt er uns, entstand aus seinem «Wunsch, den durch sein Haar vermittelten Identitätskampf des schwarzen Mannes sichtbar zu machen». In *Alles über den Natural* von Lois Liberty Jones und John Henry Jones, herausgegeben von [der Kosmetikfirma] Clairol, ist ebenfalls die Vielfalt der afrikanischen Vergangenheit ein Hauptthema. Die Autoren erörtern Färben, Perlenarbeit und Flechten, bestehen aber darauf, dass es «nirgends einen Versuch künstlicher Glättung oder einen Eingriff in den natürlichen Fall des Haares gab. Warum? Weil die Traditionen am Schauplatz der Geburt der Menschheit gegründet wurden, lange bevor weiße Männer kamen und ein nichtsahnendes Volk entzweiten und versklavten, lange bevor Afrika je einen weißen Mann gesehen hat».

Für Willie Morrow war das tragische Ereignis, das die «Knechtschaft» schwarzer Haare auslöste, der Verlust des Kamms. Wie die Trommel war der afrikanische grobzackige Kamm ein wesentlicher Teil afrikanischer Kultur. Er war nicht nur das wichtigste Werkzeug der Haarpflege; der Kamm war ein Kunstwerk, handgeschnitzt für jeden Einzelnen und ein entscheidender Teil der eigenen Identität. Morrow argumentierte sogar, dass das Fehlen angemessener Haarpflegegeräte eine wichtige Ursache schwarzen Selbsthasses war. Sklaven verwendeten nicht nur schädliche Produkte für Haar und Kopfhaut, wie Wagenschmiere und Schmalz, sondern der engzahnige Kamm der Herrschaft verletzte vielen den Kopf.

«Schwarze Kinder lernten früh in ihrem Leben, dass der [europäische] Kamm weh tat und sich in ihrem krausen Haar verfing. Diese Erfahrung war so schmerzlich, dass schwarze Jungen und Mädchen es möglichst vermieden,

combed whenever possible; they were satisfied to let their hair stay matted forever. The eagerness to avoid this necessary grooming was passed on from generation to generation of children to this day. The truth was never told to them – that the comb, the European comb, was not designed for them."

The justification for the natural, therefore, was driven as much as by health concerns as by identity politics. All of these books discuss in great detail the damage caused by straighteners and other chemicals.

Of course, as cultural critic Kobena Mercer points out, no hairstyle is really "natural," since they all require some degree of "cultivation" or "artificial techniques to attain their characteristic shapes and hence political significance". Yet part of the impetus behind the Afro was to enable African Americans to jettison unnatural chemicals and withdraw from the marketplace altogether. African or not, the "natural" was, for some, an act of self-determination. However, even before the Afro reached its height of popularity, the hair care industry stepped in and began producing a vast array of chemicals to make one's "natural" more natural. One could pick up Raveen Hair Sheen, Afro Sheen, Ultra Sheen and Head Start vitamin and mineral capsules, to name a few. The Clairol Corporation (whose CEO supported the Philadelphia Black Power Conference in 1967) did not hesitate to enter the "natural" business. Listen to this Clairol ad published in *Essence Magazine* (November 1970):

"No matter what they say... Nature Can't Do It Alone! Nothing pretties up a face like a beautiful head of hair, but even hair that's born this

gekämmt zu werden; sie fanden sich damit ab, dass ihr Haar für immer verfilzte. Der Wunsch, das notwendige Kämmen zu vermeiden, wurde von Kindergeneration zu Kindergeneration bis heute weitergegeben. Die Wahrheit wurde ihnen nie erzählt: Der Kamm, der europäische Kamm, war nicht für sie gemacht.»

Gesundheitserwägungen waren ein ebenso wichtiges Argument für die Rechtfertigung des *Natural* wie Identitätspolitik. Alle derartigen Bücher erörtern ausführlich den Schaden, der von Glättern und anderen Chemikalien angerichtet wird.

Natürlich ist, wie die Kulturkritikerin Kobena Mercer anführt, keine Frisur wirklich «natürlich», denn alle Frisuren bedürfen bis zu einem gewissen Grade der «Kultivierung» oder «künstlicher Techniken, um bestimmte Formen und dadurch politische Aussagekraft zu erreichen». Doch ein Teil der Wirkung des Afro war es, Afro-Amerikaner zu befähigen, unnatürliche Chemikalien über Bord zu werfen und sich insgesamt vom Markt zurückzuziehen. Afrikanisch oder nicht, für manche war der *Natural* ein Akt der Selbstbestimmung. Freilich: Schon bevor der Afro sein Popularitätshoch erreicht hatte, begann die Haarpflegeindustrie, eine breite Palette von Chemikalien zu produzieren, mit denen man seinen *Natural* noch natürlicher machen konnte. Man konnte, um nur ein paar zu nennen, *Raveen Hair Sheen, Afro Sheen, Ultra Sheen* und *Head Start* Vitamin- und Mineraltabletten kaufen. Die Firma Clairol (deren Geschäftsführer die Philadelphia Black-Power-Konferenz von 1967 förderte) zögerte nicht, ins «natürliche» Geschäft einzusteigen. Hören Sie sich folgende Clairol-Anzeige aus dem *Essence-Magazine* (November 1970) an:

«Was auch immer die Leute sagen ... Die Natur alleine schafft es nicht! Nichts verschönt ein Gesicht mehr als ein schöner Kopf voller Haare, aber selbst Haare, die so

beautiful needs a little help along the way... A little brightening, a little heightening of color, a little extra sheen to liven up the look. And because that wonderful natural look is still the most wanted look... the most fashionable, the most satisfying look you can have at any age ... anything you do must look natural, natural, natural. And this indeed is the art of Miss Clairol."

Depending on the particular style, the Afro could require almost as much maintenance as the process. And for those women (and some men) whose hair simply would not cooperate or wanted the flexibility to shift from straight to nappy, there was always the Afro wig. For $9.00 or $10.00, one could purchase a variety of different wig styles, ranging from the "Soul-Light Freedom" wigs to the "Honey Bee Afro Shag," made from cleverly labeled synthetic materials such as "Afrylic" or "Afrilon".

By the early 1970s, on the eve of the Afro's ultimate demise, the whole "natural" movement took another turn. First, the Afro began to lose its specific political meaning, or at least the connection to black nationalist politics seemed to fade into the background. Although it was stripped of its imaginary connection to Africa and urban rebellion, the Afro continued to linger on the heads of young men into the middle to late 1970s since it coincided with the dominant aesthetic of male beauty – light skinned (pronounced "skin-did"), bow legged, with a big 'fro. The look laid bare the retreat from the original conception of the style as a celebration of *blackness*. At the time, some may recall, there was a

schön geboren wurden, brauchen eine kleine Hilfe auf dem Weg. ... Einen kleinen Aufheller, einen kleinen Farbverstärker, ein bisschen extra Glanz, um das Aussehen lebendiger zu machen. Und weil dieses wunderbare natürliche Aussehen immer noch das beliebteste ist ... das modischste, das befriedigendste Aussehen, das Sie in jedem Alter tragen können, ... muss alles, was Sie tun, natürlich, natürlich und nochmals natürlich aussehen. Genau das ist die Kunst von Miss Clairol.»

Je nach dem gewählten Stil konnte ein Afro fast ebensoviel Pflege verlangen wie konventionell behandeltes Haar. Und für die Frauen (und wenigen Männer), deren Haar einfach nicht mitspielte, oder die zwischen glatt und kraus hin- und herwechseln wollten, gab es die Afro-Perücke. Für neun oder zehn Dollar konnte man eine Vielfalt unterschiedlicher Perückentypen kaufen, von «Soul-light Freiheit» bis zu «Honigbienen-Afro-Plüsch», die aus klug benannten Kunststoffen, wie «Afrylic» oder «Afrilon», hergestellt waren.

Anfang der siebziger Jahre, am Vorabend des endgültigen Abstiegs des Afro, nahm die ganze *Natural*-Bewegung eine andere Richtung. Zuerst begann der Afro seine eigentliche politische Bedeutung zu verlieren, oder zumindest schien seine Verbindung zu schwarzer nationalistischer Politik in den Hintergrund zu treten. Aber obwohl er seiner imaginären Verbindung nach Afrika und zur städtischen Rebellion entledigt worden war, lebte er auf den Köpfen junger Männer bis in die mittleren und späten siebziger Jahre fort, da er mit dem vorherrschenden männlichen Schönheitsideal übereinstimmte, hellhäutig (sogenannt *skin did*), krummbeinig und mit großem 'fro. Diese Mode offenbarte den Rückzug von der ursprünglichen Auffassung des Stils als eines feierlichen Bekenntnisses zum Schwarz-Sein. Zu dieser Zeit, wie manche sich erinnern werden, hatten populäre R&B-Gruppen wie die *Sylvers*

real love affair with popular R&B groups like the Sylvers or The Brothers Johnson (though by then the Jacksons and their most famous brother had traded in their own famous Afros for the more treacherous world of the gheri curl).

Second, the masculinization of the Afro in the aftermath of its depoliticization contributed to a backlash against black women with "natural" hair. The age of Angela Davis and an Afro-coifed Pam Grier (the diva of blaxploitation films) was over. By the second half of the 1970s, actress/model Jayne Kennedy's long brown hair and light skin emerged as the era's most prominent representations of black female beauty. The December 1970 issue of *Essence Magazine* suggested that "getting straight" might be the wave of the future.

"The pressure to 'go natural' is almost overwhelming, but the real question is, what is 'natural' for you. For many black women, the honest answer to that is curly, wavy or even straight. For others, the straight route is a definite choice... Without apology, secure in where she's at politically (after all, it's what's under that head of hair that really matters), the woman who goes straight is clearly liberated enough to do her own thing in the fullest sense of that shopworn phrase."

Leading stylists such as Lois Liberty Jones (backed by Clairol, no less) tried to keep the Afro alive by diversifying the look in such a way as to emphasize both femininity and refinement. "We can all wear The Natural," she wrote, "but remember at its best it is not a do it yourself thing. There is the 'primitive' Natural and there's the well groomed coiffure. Some mere-

oder die *Brothers Johnson* eine regelrechte Liebesbeziehung [zum Afro]. (Die *Jacksons* und ihr berühmtester Bruder hatten allerdings schon damals ihre eigenen berühmten Afros gegen die trügerischeren Korkenzieherlocken eingetauscht).

Zum anderen trug die Maskulinisierung des Afro als Nachwirkung seiner Entpolitisierung zu einem Rückschlag für schwarze Frauen mit «natürlichem» Haar bei. Die Zeit von Angela Davis und der Afro-frisierten Pam Grier (der Diva der *Blaxploitation*-Filme) war vorbei. In der zweiten Hälfte der siebziger Jahre tauchten die langen braunen Haare und die helle Haut der Schauspielerin oder des Models Jayne Kennedy auf, als die für die folgende Zeit bekannteste Darstellung weiblicher schwarzer Schönheit. Das Dezemberheft 1970 der Zeitschrift *Essence* legte nahe, dass «glatt werden» [auch ‹geradeheraus›, ‹ehrlich›, ‹direkt›, A.d.Ü.] die Welle der Zukunft werden könnte.

«Der Druck, den natürlichen Stil zu tragen, ist fast überwältigend, doch die wahre Frage ist, was ist ‹natürlich› für Sie? Für viele schwarze Frauen ist die ehrliche Antwort: kraus, gewellt oder auch glatt. Für andere ist der glatte Weg eine klare Wahl ... Ohne Entschuldigung und mit einem gefestigten politischen Standpunkt (schließlich zählt, was unter dem Haar ist), ist die Frau, die sich für glatte Haare entscheidet, eindeutig frei genug, sie selbst zu sein, im vollsten Sinn dieser abgedroschenen Redensart.»

Führende Frisöre wie Lois Liberty Jones (und zwar immerhin von Clairol unterstützt) versuchten, den Afro dadurch am Leben zu erhalten, dass sie ihn so abwandelten, dass Weiblichkeit und Raffinesse durch ihn betont wurden. «Wir können alle den *Natural* tragen», schrieb sie, «aber denken Sie daran, dass man die besten Afros nicht selber machen kann. Es gibt den ‹primitiven› Natural, und es gibt die gepflegte Frisur. Einige hören einfach auf, ihre Haare

ly stop straightening their hair. Good! But you can't beat the professional care of a licensed beautician to help you make the change." Although its nationalist moorings remained pretty much intact, Jones's explicit appeal to middle-class black women suggests a throwback to the "*au naturel*" days. For example, the "Egyptian Exotica" and the "Delta Magic" combined the Afro style with bands of braided hair. The latter was unusually complicated, and probably looked pretty silly. As Jones described it, the hair is not only "bursting into freedom above a band of braids," but it called for "one looping [braid] under the chin adding excitement for that special occasion." The "Freedom Burst" was a kind of "double bouffant look" created by two cornrow braids, each one braided back from the eyebrow. Other styles included "Soul Love," "Miss Zanzie" (most likely for "Zanzibar"), "Basic Black," and "Respect".

In some ways, the transformation of the Afro marked the beginning of the end. It is treated in contemporary popular culture as a relic of the 1960s or a key element of the 1970s retro style. Yet what the Afro represented, the debates it engendered, still lay at the heart of the politics of black hair. After all, the Afro was deeply embedded in a larger racial and gendered discourse about the black body under racism and sexism. For black women, more so than black men, going "natural" was not just a valorization of blackness or Africanness, but a direct rejection of a conception of female beauty that many black men themselves had upheld. Indeed, the resurgence of black feminism in the 1970s was partly

zu glätten. So weit, so gut! Aber um Ihnen bei diesem Wandel zu helfen, sollten Sie die fachmännische Sorgfalt eines ausgebildeten Kosmetikers nicht unterschätzen.» Obwohl der nationalistische Bezug des Afro ziemlich unangetastet blieb, stellt Jones' ausdrücklicher Aufruf an schwarze Mittelständlerinnen, der wie aus der Zeit des *au naturel* klingt, doch eine rückwärts gewandte Entwicklung dar. Die Frisuren «*Egyptian Exotica*» und «*Delta Magic*» zum Beispiel kombinierten den Afro-Stil mit zu Bändern geflochtenen Haaren. Letzteres war äußerst kompliziert und sah wahrscheinlich recht dumm aus. Nicht nur «birst» das Haar – wie Jones es beschrieb – «oberhalb eines Bands von Zöpfen in Freiheit», sondern die Frisur erforderte auch «einen unter das Kinn geschlungenen [Zopf], der Spannung für eine ganz besondere Gelegenheit hinzufügt». Der «Freiheitsausbruch» war eine Art «doppelt gebauschter Look», erzeugt durch zwei eingeflochtene Ackerfurchen-Zöpfe, die beide von den Augenbrauen an zurückgeflochten wurden. Andere Stile waren «*Soul Love*», «*Miss Zanzie*» (wohl für «Sansibar»), «*Basic Black*» und «*Respekt*».

In mancherlei Hinsicht bezeichnet die Wandlung des Afro den Anfang vom Ende. In der zeitgenössischen Popkultur wird er als ein Überbleibsel der sechziger oder als ein Schlüsselelement des Retrostils der siebziger Jahre angesehen. Doch was der Afro darstellte, die Debatte, die er auslöste, ist immer noch ein Kernstück der Politik schwarzer Haare. Schließlich war der Afro in dem umfassenden rassischen und geschlechterspezifischen Diskurs über den schwarzen Körper in Rassismus und Sexismus fest eingebettet. Sich natürlich zu geben, war für schwarze Frauen, mehr als für schwarze Männer, nicht bloß die Wertschätzung des Schwarz- und Afrikanisch-Seins, sondern die direkte Ablehnung eines Begriffs weiblicher Schönheit, den selbst viele schwarze Männer beibehalten hatten. Das Wiederaufleben des schwarzen Feminismus

sparked by the lack of self-determination black women had over their image. They sought new definitions of beauty that celebrated diversity within blackness and challenged the dominance of the hair care and cosmetic industries. These discussions and debates over hair, skin, facial features, the shape of one's body found voice in political movements such as the National Black Feminist Organization, in Toni Cade Bambara's essential anthology *The Black Woman* (1970), in the prose and poetry of the decade's leading black feminist writers, including Toni Morrison, Ntozake Shange, Alice Walker, Gloria Naylor, June Jordan, Michelle Wallace, bell hooks, Paula Giddings, Barbara Smith and Cheryl Clarke, to name a few. And singers such as Abbey Lincoln, pioneer of the "*au naturel*," and Sweet Honey and the Rock continued to write and sing about black women's natural beauty.

The post-Black Power generation of black feminists carved out a new radical aesthetic that built upon the previous era's celebration of "naturalness" and African ancestry, but emphasized autonomy, sisterhood, and alternative sexualities. Many women turned to very close-cut "naturals" and African-style braids (long before Bo Derek popularized the cornrow braids that became her signature too in "10"). While the close-cut 'fro did not carry as much explicit political baggage as the big 'fro, conditions rendered the style oppositional. It not only challenged gender conventions in a world where long hair was a marker of femininity, but it was often interpreted a sign of militancy: some employers saw the style in terms of racial militancy, while others (often

kam gewiss zum Teil daher, dass es für schwarze Frauen keine selbstbestimmte Vorstellung von ihrem Idealbild gab. Sie suchten neue Begriffsbestimmungen von Schönheit, die die schwarze Vielfalt feierten, und riefen die dominierende Haarpflege- und Kosmetikindustrie auf den Plan. Diese Diskussionen über Haare, Haut, Gesichtszüge und die Form des eigenen Körpers fand in politischen Bewegungen wie der *National Black Feminist Organization* ihren Ausdruck, in Toni Cade Bambaras wichtiger Anthologie *Die schwarze Frau* (1970) und in Poesie und Prosa der führenden schwarzen feministischen Autorinnen der Dekade, wie, um nur ein paar zu nennen, Toni Morrison, Ntozake Shange, Alice Walker, Gloria Naylor, June Jordan, Michelle Wallace, bell hooks, Paula Giddings, Barbara Smith und Cheryl Clarke. Sängerinnen wie Abbey Lincoln, die Pionierin des *«au naturel»*, und *Sweet Honey and the Rock* fuhren fort, über die natürliche Schönheit schwarzer Frauen zu schreiben und zu singen.

Die Post-Black-Power-Generation schwarzer Feministinnen erarbeitete eine grundsätzlich neue Ästhetik, die auf der Feier von «Natürlichkeit» und dem afrikanischen Erbe der vorhergegangenen Ära aufbaute, aber auch Unabhängigkeit, Schwesternschaft und alternative Formen der Sexualität propagierte. Viele Frauen trugen jetzt sehr kurz geschnittene *Naturals* und Zöpfe im afrikanischen Stil (lange bevor Bo Derek die Ackerfurchenzöpfe in «10» als ihr Markenzeichen unter die Leute brachte). Obwohl der kurzgeschorene 'fro nicht so stark politisch befrachtet war wie der große 'fro, wirkte er je nach Lage der Dinge doch oppositionell. Er brüskierte nicht nur Geschlechterkonventionen einer Welt, in der lange Haare ein Zeichen für Weiblichkeit waren, sondern wurde oft auch als ein Zeichen von Kampfeslust aufgefasst: Manche Arbeitgeber betrachteten den kurzgeschorenen Afro als Zeichen rassischer Militanz,

black men) regarded the close cut as a sign of so-called "man-hating" feminism. Black women who chose to wear braids in the late 1970s and early 1980s paid the greatest price. Across the country dozens of black women, from TV news anchors to airline flight attendants, were banned from wearing braids or lost their jobs because they refused to comply. Employers regarded braids as distasteful, threatening or inappropriate statements of ethnic pride – and the courts, in most cases, upheld work place policies banning African-style braids.

No matter what we might think about culture and style as a terrain of struggle, hairstyle politics, particularly in the Black community, reveal a great deal about power – the power of white over black, men over women, employers over workers, the state over citizens. But to understand the impact and meaning of this power struggle we must go beyond "reading" the form. As I have tried to emphasize throughout this brief essay, certain oppositional styles – most notably the Afro – were accompanied by "texts" that set out to establish meaning. The political contexts in which the Afro reached popularity and the particular meaning that black political activists, hairstylists, and ordinary proud black folks gave the Afro led to a re-writing of the history of black hair, a new narration of style politics that required omissions, revisions, and new myths. Even beyond the well-worn symbolism of the Afro, "hair activists" like Willie Morrow characterized it as a direct challenge to the dominant culture. Not only were manufacturers of European-style combs and hair straighteners losing

andere (oft schwarze Männer) sahen in ihm eine Äußerung des sogenannten männer-hassenden Feminismus. Schwarze Frauen, die in den späten siebziger und frühen achtziger Jahren Zöpfe zu tragen wagten, zahlten den höchsten Preis. Im ganzen Land wurde es Dutzenden von schwarzen Frauen, von TV-Nachrichtenmoderatorinnen bis zu Stewardessen, verboten, Zöpfe zu tragen, oder sie verloren ihre Arbeitsplätze, weil sie sich weigerten, diesem Verbot Folge zu leisten. Arbeitgeber sahen Zöpfe als geschmacklose, bedrohliche oder unpassende Äußerungen ethnischen Stolzes an, und meistens gaben die Gerichte Arbeitgebern recht, die Zöpfe afrikanischen Stils verboten.

Unabhängig davon, was wir von Kultur und Stil als einem Ort der Auseinandersetzung halten, enthüllt die Politik der Frisuren, insbesondere innerhalb der schwarzen Gemeinschaft, eine Menge über Macht, die Macht von Weiß über Schwarz, Männern über Frauen, Arbeitgebern über Angestellte, des Staates über die Bürger. Aber um die Wirkung und die Bedeutung dieses Machtkampfes zu verstehen, müssen wir weiter gehen als nur die Form zu lesen. Ich habe in diesem Aufsatz durchweg versucht deutlich zu machen, dass bestimmte oppositionelle Stile, am bekanntesten der Afro, von «Texten» begleitet wurden, die darauf angelegt waren, Bedeutungen festzulegen. Die politischen Kontexte, in denen der Afro Bekanntheit erlangte, und die spezielle Bedeutung, die schwarze politische Aktivisten, Frisöre und normale stolze Schwarze ihm beilegten, bewirkten eine Umformulierung der Geschichte des schwarzen Haars, eine neue Darstellung der Stilpolitik, die nach Streichungen, Korrekturen und neuen Mythen verlangte. Jenseits der wohlbekannten Symbolik des Afro nennen ihn «Haar-Aktivisten» wie Willie Morrow eine direkte Herausforderung der herrschenden Kultur. Die Hersteller von europäischen Kämmen und Haar-Glättern verloren nicht nur Geld, sondern: «Schwesternhauben passten nicht, Uniform-

money, but "[n]ursing caps didn't fit, airline caps didn't fit, military head gear didn't fit..."

In other words, hairdressers, writers, activists, defenders of the 'fro, created their own counter hegemony, not simply by wearing the style but by fighting for control over its meaning. And for a brief moment, they even beat Clairol at their own game of appropriation.

mützen von Fluggesellschaften passten nicht, militärische Kopfbedeckungen passten nicht ...»

Mit anderen Worten: Frisöre, Schriftsteller, Aktivisten, Verfechter des 'fro schufen ihre eigene Gegenrichtung nicht einfach dadurch, dass sie den Stil trugen, sondern dadurch, dass sie darum kämpften, seine Bedeutung zu bestimmen. Und für kurze Zeit schlugen sie sogar die Firma Clairol in deren eigenem Spiel der Vereinnahmung.

Tricia Rose: Rap Music and Contemporary Black Cultural Production

Public Enemy's "Can't Truss It" opens with rapper Flavor Flav shouting "Confusion!" over a heavy and energetic bass line. The subsequent lyrics suggest that Flavor Flav is referring to lead rapper Chuck D's story about the legacy of slavery, that it has produced extreme cultural confusion. He could just as easily be describing the history of rap. Rap music is a confusing and noisy element of contemporary American popular culture that continues to draw a great deal of attention to itself. On the one hand, music and cultural critics praise rap's role as an educational tool, point out that black women rappers are rare examples of aggressive pro-women lyricists in popular music, and defend rap's ghetto stories as real-life reflections that should draw attention to the burning problems of racism and economic oppression, rather than to questions of obscenity. On the other hand, news media attention on rap seems fixated on instances of violence at rap concerts, rap producers' illegal use of musical samples, gangsta raps' lurid fantasies of cop killing and female dismemberment, and black nationalist rappers' suggestions that white people are the devil's disciples. These celebratory and inflammatory aspects in rap and the media coverage of them bring to the fore several long-standing debates about popular music and culture. Some of the more contentious disputes revolve around the fol-

Tricia Rose: Rap-Musik und zeitgenössisches schwarzes Kulturschaffen

«*Confusion* (Verwirrung)», mit diesem Schrei über einer schweren und kräftigen Basslinie wird Public Enemys Lied «Can't Truss it» von Rapper Flavor Flav eröffnet. Der dann folgende Text lässt darauf schließen, dass sich Flavor Flav auf eine Geschichte von Chuck D, dem Kopf der Gruppe, bezieht, wonach die Sklaverei extremes kulturelles Durcheinander hervorgebracht hat. Ebensogut hätte sich der Text auf die Geschichte des Rap beziehen können. Rap-Musik ist ein verwirrendes und überaus lautes Element der zeitgenössischen amerikanischen Pop-Kultur, das anhaltend große Aufmerksamkeit auf sich zieht. Einerseits preisen Musik- und Kulturkritiker die Rolle des Rap als ein erzieherisches Werkzeug, sie weisen zum Beispiel darauf hin, dass schwarze Rapperinnen zu den wenigen frechen frauenfreundlichen Textern in der populären Musik zählen, und verteidigen die Ghetto-Geschichten des Rap als Spiegelungen des wirklichen Lebens, die die Aufmerksamkeit eher auf die brennenden Probleme von Rassismus und wirtschaftlicher Unterdrückung lenken sollten als auf obszöne Inhalte. Andererseits ist die Medienaufmerksamkeit für Rap offenbar fixiert auf gewalttätige Vorkommnisse bei Rap-Konzerten, die rechtswidrige Verwendung von Musikzitaten durch Rap-Musik-Produzenten, die erfundenen grausamen Geschichten des Gangsta-Rap, in denen Bullen gekillt und Frauen verstümmelt werden, und die Unterstellungen schwarzer nationalistischer Rapper, Weiße seien Gefolgsleute des Teufels. Diese Aspekte des Rap, einerseits die hochgelobten, andererseits die beunruhigenden, sowie die Berichterstattung über sie lassen ein paar altbekannte Debatten über populäre Musik wieder aufleben. Einige der hitzigsten Auseinandersetzungen drehen sich um die fol-

lowing questions: Can violent images incite violent action, can music set the stage for political mobilization, do sexually explicit lyrics contribute to the moral "breakdown" of society, and finally, is this really *music* anyway?

And, if these debates about rap music are not confusing enough, rappers engage them in contradictory ways. Some rappers defend the work of gangster rappers and at the same time consider it a negative influence on black youths. Female rappers openly criticize male rappers' sexist work and simultaneously defend the 2 Live Crew's right to sell misogynist music. Rappers who criticize America for its perpetuation of racial and economic discrimination also share conservative ideas about personal responsibility, call for self-improvement strategies in the black community that focus heavily on personal behavior as the cause and solution for crime, drugs, and community instability.

Rap music brings together a tangle of some of the most complex social, cultural, and political issues in contemporary American society. Rap's contradictory articulations are not signs of absent intellectual clarity; they are a common feature of community and popular cultural dialogues that always offer more than one cultural, social, or political viewpoint. These unusually abundant polyvocal conversations seem irrational when they are severed from the social contexts where everyday struggles over resources, pleasure, and meanings take place.

Rap music is a black cultural expression that prioritizes black voices from the margins of

genden Fragen: Können Bilder der Gewalt zu gewalttätigen Handlungen anstacheln? Kann Musik der Politisierung von Menschen den Weg bereiten? Tragen unverblümt sexuelle Texte zum moralischen «Zusammenbruch» der Gesellschaft bei? Und schließlich: Ist das überhaupt *Musik*?

Und als wären diese Debatten über den Rap nicht schon verwirrend genug, beteiligen sich die Rapper auch selbst auf widersprüchliche Art an ihnen. Einige Rapper verteidigen die Arbeit von Gangsta-Rappern, obwohl sie ihren Einfluss auf die schwarze Jugend für schlecht halten. Rapperinnen kritisieren sexistische Stücke männlicher Rapper unmissverständlich und verteidigen gleichzeitig das Recht der 2 Live Crew, frauenfeindliche Musik zu verkaufen. Rapper, die Amerika einerseits wegen der Beibehaltung rassischer und ökonomischer Diskriminierung kritisieren, halten andererseits an einer konservativen Vorstellung von persönlicher Verantwortlichkeit fest; sie fordern für die Gemeinschaft der Schwarzen Selbstheilungsstrategien, deren zentraler Gedanke besagt, dass persönliches Verhalten sowohl Auslöser wie auch Gegenmittel von Verbrechen, Drogensucht und Instabilität der Gemeinschaft ist.

In der Rap-Musik prallen einige der kompliziertesten sozialen, kulturellen und politischen Probleme der zeitgenössischen amerikanischen Gesellschaft aufeinander. Die widersprüchlichen Äußerungen des Rap sind nicht Zeichen fehlender intellektueller Klarheit; sie sind ein normales Merkmal von Gemeinschaften und pop-kulturellen Strömungen, die ja immer mehr als nur eine einzige kulturelle, soziale oder politische Seite haben. Die überaus reichen, vielstimmigen Äußerungen sind nur dann unverständlich, wenn sie aus ihrem sozialen Zusammenhang des alltäglichen Gerangels um Güter, Lebensfreude und Bedeutungen gerissen werden.

Rap-Musik ist eine eigenständige kulturelle Ausdrucksweise, die hauptsächlich schwarze Stimmen der Randgrup-

urban America. Rap music is a form of rhymed storytelling accompanied by highly rhythmic, electronically based music. It began in the mid-1970s in the South Bronx in New York City as a part of hip hop, an African-American and Afro-Caribbean youth culture composed of graffiti, breakdancing, and rap music. From the outset, rap music has articulated the pleasures and problems of black urban life in contemporary America. Rappers speak with the voice of personal experience, taking on the identity of the observer or narrator. Male rappers often speak from the perspective of a young man who wants social status in a locally meaningful way. They rap about how to avoid gang pressures and still earn local respect, how to deal with the loss of several friends to gun fights and drug overdoses, and they tell grandiose and sometimes violent tales that are powered by male sexual power over women. Female rappers sometimes tell stories from the perspective of a young woman who is skeptical of male protestations of love or a girl who has been involved with a drug dealer and cannot sever herself from his dangerous lifestyle. Some raps speak to the failures of black men to provide security and attack men where their manhood seems most vulnerable: the pocket. Some tales are one sister telling another to rid herself from the abuse of a lover. (...)

Rap went relatively unnoticed by mainstream music and popular culture industries until independent music entrepreneur Sylvia Robinson released "Rappers Delight" in 1979. Over the next five years rap music was "discovered" by the music industry, the print media, the fashion

pen des städtischen Amerika zur Geltung bringt. Sie ist eine Art gereimten Geschichtenerzählens, begleitet von hoch rhythmischer elektronischer Musik. Rap begann in den Mittsiebzigern in der südlichen Bronx in New York City als ein Teil des Hip Hop, einer afro-amerikanischen und afrokaribischen Jugendkultur, zu der Graffiti, Breakdance und eben Rap-Musik gehören. Von Anfang an hat Rap-Musik Lust und Leid des schwarzen städtischen Lebens im zeitgenössischen Amerika zum Ausdruck gebracht. Rapper sprechen aus persönlicher Erfahrung, wenn sie die Rolle eines Beobachters oder Erzählers einnehmen. Männliche Rapper sprechen oft aus der Perspektive eines jungen Mannes, der innerhalb seines Milieus nach Status strebt. Sie rappen darüber, wie man sich dem Druck von Gangs entziehen und doch lokalen Respekt verdienen kann, wie man mit dem Verlust von Freunden – durch Schießereien oder übermäßigen Drogenkonsum – umgeht, und sie erzählen hochtrabende und manchmal gewalttätige Geschichten, die mit männlicher Sexualmacht über Frauen prahlen. Rapperinnen erzählen eher aus der Perspektive einer jungen Frau, die männlichen Liebesbeteuerungen skeptisch gegenübersteht, oder eines Mädchens, das sich mit einem Drogenhändler eingelassen hat und sich nicht mehr von seinem gefährlichen Lebensstil befreien kann. Manche Raps handeln von der Unfähigkeit schwarzer Männer, Sicherheit zu bieten, und greifen Männer dort an, wo ihre Männlichkeit am verwundbarsten ist: am Geldbeutel. In manchen Geschichten rät eine Schwester einer anderen, sich nicht länger von ihrem Liebhaber missbrauchen zu lassen. (...)

Rap wurde kaum beachtet von der Mainstream-Musik und der Industrie populärer Kultur, bis 1979 die unabhängige Musikunternehmerin Sylvia Robinson «Rappers Delight» herausgab. In den nun folgenden fünf Jahren wurde die Rap-Musik von der Musikindustrie, den Printmedien, der Kleidungs- und der Filmindustrie «entdeckt». Sie alle

industry, and the film industry, each of which hurried to cash in on what was assumed to be a passing fad. During the same years, Run DMC (who recorded the first gold rap record *Run DMC* in 1984), Whodini, and the Fat Boys became the most commercially successful symbols of rap music's sounds and style.

By 1987, rap music had survived several death knells, Hollywood mockery, and radio bans and continued to spawn new artists, such as Public Enemy, Eric B. & Rakim, and L. L. Cool J. At the same time, women rappers, such as MC Lyte and Salt'N'Pepa, encouraged by Roxanne Shante's early successes, made inroads into rap's emerging commercial audience. Between 1987 and 1990 a number of critical musical and industry changes took place. Public Enemy became rap's first superstar group, and media attention to its black nationalist political articulations intensified. The success of De La Soul's playful Afrocentricity, tongue in cheek spoof of rap's aggressive masculinity and manipulation of America's television culture encouraged the Native Tongues wing of rap that opened the door to such future groups as A Tribe Called Quest, Queen Latifah, Brand Nubian, and Black Sheep. Ice-T put the Los Angeles gangsta rap style on the national map, which encouraged the emergence of NWA, Ice Cube, Too Short and others. (...)

Rap's black cultural address and its focus on marginal identities may appear to be in opposition to its crossover appeal for people from different racial or ethnic groups and social positions. How can this black public dialogue speak to the thousands of young white suburban boys and girls who are critical to the record sales successes of many of rap's

beeilten sich, an der – wie sie glaubten – kurzlebigen Mode zu verdienen. Während derselben Jahre wurden Run DMC (der 1984 die erste goldene Schallplatte des Rap *Run DMC* aufnahm), Whodini und die Fat Boys die wirtschaftlich erfolgreichsten Symbole für den Sound und den Stil der Rap-Musik.

Bis 1987 war dem Rap oft sein Ende prophezeit worden, doch er überlebte den Spott aus Hollywood genauso wie die Sendeverbote im Radio und brachte weiterhin neue Künstler hervor, zum Beispiel Public Enemy, Eric B. & Rakim und L.L. Cool J. Gleichzeitig fanden Rapperinnen wie MC Lyte und Salt'N'Pepa, von Roxanne Shantes frühem Erfolg ermutigt, zu dem sich bildenden kommerziellen Publikum des Rap Zugang. Zwischen 1987 und 1990 gab es eine Reihe wesentlicher Veränderungen in der Musik und der Musikindustrie. Public Enemy wurde die erste Superstar-Gruppe des Rap, und die Aufmerksamkeit der Medien für ihre schwarz-nationalistischen Äußerungen nahm zu. Der Erfolg des spielerischen Afrozentrismus von De La Soul, ihre hintergründige Veralberung der aggressiven Männlichkeit des Rap und der Machenschaften innerhalb der amerikanischen Fernsehkultur ermutigten den Native-Tongues-Flügel des Rap, der nachfolgenden Gruppen wie A Tribe Called Quest, Queen Latifa, Brand Nubian und Black Sheep die Tür öffnete. Ice-T machte den Gangsta-Rap-Stil aus Los Angeles in ganz Amerika bekannt und bereitete so NWA, Ice Cube, Too Short und anderen den Weg. (...)

Die in der schwarzen Kultur verwurzelte Sprechweise des Rap und seine Konzentration auf Randgruppen-Identitäten mag unvereinbar scheinen mit seinem grenzüberschreitenden Reiz für Leute unterschiedlicher rassischer oder ethnischer Gruppen und sozialer Schichten. Wie kann diese schwarze öffentliche Äußerung so viele Tausende weißer Jungen und Mädchen aus den mittelständischen Vorstädten ansprechen, die aussschlaggebend sind für die Verkaufs-

more prominent stars? How can I suggest that rap is committed culturally and emotionally to the pulse, pleasures, and problems of black urban life in the face of such diverse constituencies?

To suggest that rap is a black idiom that prioritizes black culture and that articulates the problems of black urban life does not deny the pleasure and participation of others. In fact, many black musics before rap (e.g., the blues, jazz, early rock'n'roll) have also become American popular musics precisely because of extensive white participation; white America has always had an intense interest in black culture. Consequently, the fact that a significant number of white teenagers have become rap fans is quite consistent with the history of black music in America and should not be equated with a shift in rap's discursive or stylistic focus away from black pleasure and black fans. However, extensive white participation in black culture has also always involved white appropriation and attempts at ideological recuperation of black cultural resistance. Black culture in the United States has always had elements that have been at least bifocal – speaking to both a black audience and a larger predominantly white context. Rap music shares this history of interaction with many previous black oral and music traditions. (...)

Rap video has also developed its own style and its own genre conventions. These conventions visualize hip hop style and usually affirm rap's primary thematic concerns: identity and location. Over most of its brief history (rap video produc-

erfolge der Schallplatten vieler der bekannteren Rap-Stars? Wie kann ich angesichts so unterschiedlicher Fan-Gemeinden behaupten, der Rap sei kulturell und gefühlsmäßig ganz dicht am Puls des schwarzen städtischen Amerika mit all seinen Licht- und Schattenseiten?

Die Behauptung, der Rap sei eine schwarze Sprache, die die schwarze Kultur in den Mittelpunkt rückt und die Probleme des schwarzen Stadtlebens beim Namen nennt, schließt die Begeisterung und Teilnahme anderer nicht aus. Tatsächlich wurden schon viele schwarze Musikrichtungen vor dem Rap (z.B der Blues, der Jazz und der frühe Rock'n'Roll) gerade wegen der starken Beteiligung von Weißen zu amerikanischer populärer Musik; das weiße Amerika ist seit jeher stark an schwarzer Kultur interessiert. Folglich ist die Tatsache, dass so viele weiße Teenager zu Rap-Fans wurden, durchaus mit der Geschichte schwarzer Musik in Amerika vereinbar und sollte nicht mit einer Abkehr des Rap von seiner inhaltlichen oder stilistischen Ausrichtung auf die Unterhaltung Schwarzer und auf seine schwarzen Fans gleichgesetzt werden. Freilich: Jede starke weiße Beteiligung an schwarzer Kultur hat immer auch eine Aneignung durch Weiße und den Versuch einer ideologischen Aushöhlung schwarzen kulturellen Widerstands mit sich gebracht. Die schwarze Kultur in den Vereinigten Staaten enthielt seit eh und je Elemente, die zumindest zwei Gesichter hatten: Sie sprachen sowohl das schwarze Publikum an als auch ein größeres, vor allem weißes Umfeld. Diese Geschichte des Zusammenspiels hat der Rap mit vielen früheren schwarzen mündlichen und musikalischen Traditionen gemeinsam. (...)

Auch das Rap-Video hat seinen eigenen Stil und seine eigenen Regeln entwickelt. Im allgemeinen verbildlicht es den Hip-Hop-Stil, zumeist betont es die thematischen Hauptanliegen des Rap: Identität und Lebensraum. Die längste Zeit in der bisher kurzen Geschichte des Rap-

tion began in earnest in the mid-to-late 1980s), rap video themes have repeatedly converged around the depiction of the local neighborhood and the local posse, crew, or support system. Nothing is more central to rap's music video narratives than situating the rapper in his or her milieu and among one's crew or posse. Unlike heavy metal videos, for example, which often use dramatic live concert footage and the concert stage as the core location, rap music videos are set on buses, subways, in abandoned buildings, and almost always in black urban inner-city locations. This usually involves ample shots of favorite street corners, intersections, playgrounds, parking lots, school yards, roofs, and childhood friends. (...)

Rappers' emphasis on posses and neighborhoods has brought the ghetto back into the public consciousness. It satisfies poor young black people's profound need to have their territories acknowledged, recognized, and celebrated. These are the street corners and neighborhoods that usually serve as lurid backdrops for street crimes on the nightly news. Few local people are given an opportunity to speak, and their points of view are always contained by expert testimony. In rap videos, young mostly male residents speak for themselves and for the community, they speak when and how they wish about subjects of their choosing. These local turf scenes are not isolated voices; they are voices from a variety of social margins that are in dialogue with one another. (...)

Rap music and video have been wrongfully characterized as thoroughly sexist but rightfully lambasted for their sexism. I am thoroughly frustrated but not surprised by the apparent need for some rappers to craft elaborate and creative stories about the abuse and domination of young black women.

Videos (ihre Produktion begann so richtig erst Mitte der achtziger Jahre) drehten sie sich um die Darstellung des eigenen Viertels und der lokalen Clique oder Bande oder des heimischen Rückhaltsystems. Im Gegensatz etwa zu Heavy-Metal-Videos, die oft dramatische Mitschnitte von Konzerten mit der Bühne als Hauptschauplatz bringen, spielen Rap-Musik-Videos in Bussen, U-Bahnen oder verlassenen Gebäuden und so gut wie immer in schwarzen Vierteln der Großstadt-Zentren. Das bringt normalerweise zahlreiche Aufnahmen von beliebten Straßenecken, Kreuzungen, Spielplätzen, Parkplätzen, Schulhöfen, Dächern und Freunden aus der Kindheit mit sich. (...)

Die Vorliebe der Rapper für ihre Cliquen und Viertel hat das Ghetto in das öffentliche Bewusstsein zurückgebracht. Dadurch wird das grundlegende Bedürfnis junger armer Schwarzer nach Wahrnehmung, Anerkennung und Würdigung ihrer Viertel befriedigt. Dies sind die Straßenecken und Gegenden, die in den Abendnachrichten normalerweise den schaurigen Hintergrund der Straßenkriminalität abgeben. Leute von dort lässt man sonst nur selten zu Wort kommen, und ihre Sichtweise wird immer durch Expertenurteile relativiert. In Rap-Videos hingegen sprechen junge, zumeist männliche Anwohner für sich selbst und für ihre Gemeinschaft, sie äußern sich, wann und wie sie wollen, zu Themen eigener Wahl. Diese Szenen des heimischen Viertels werden nicht von vereinzelten Stimmen vorgetragen; es sind Stimmen einer Reihe unterschiedlicher Randgruppen, die miteinander in Verbindung stehen. (...)

Rap-Musik und -Videos wurden zu Unrecht als durch und durch sexistisch eingestuft, berechtigterweise jedoch für ihren Sexismus angegriffen. Mich frustriert es zutiefst, dass manche Rapper offensichtlich das Bedürfnis haben, sich kunstvolle, einfallsreiche Geschichten über den Missbrauch und die Beherrschung junger schwarzer Frauen auszudenken, überraschen tut es mich nicht. Vielleicht dienen

Perhaps these stories serve to protect young men from the reality of female rejection; maybe and more likely, tales of sexual domination falsely relieve their lack of self-worth and limited access to economic and social markers for heterosexual masculine power. Certainly, they reflect the deep-seated sexism that pervades the structure of American culture. Still, I have grown weary of rappers' stock retorts to charges of sexism in rap: "There are 'bitches' or 'golddiggers' out there, and that's who this rap is about," or "This is just a story, I don't *mean anything* by it." I have also grown impatient with the cowardly silence of rappers who I know find this aspect of rap troubling.

On the other hand, given the selective way in which the subject of sexism occupies public dialogue, I am highly skeptical of the timing and strategic deployment of outrage regarding rap's sexism. Some responses to sexism in rap music adopt a tone that suggests that rappers have infected an otherwise sexism-free society. These reactions to rap's sexism deny the existence of a vast array of accepted sexist social practices that make up adolescent male gender role modeling that results in social norms for adult male behaviors that are equally sexist, even though they are usually expressed with less profanity. Few popular analyses of rap's sexism seem willing to confront the fact that sexual and institutional control over and abuse of women is a crucial component of developing a heterosexual masculine identity. In some instances, the music has become a scapegoat that diverts

diese Geschichten dazu, junge Männer vor der Erfahrung weiblicher Zurückweisung zu schützen; aber noch wahrscheinlicher sollen diese Geschichten sexueller Beherrschung ein fragwürdiger Ausgleich sein für einen Mangel an Selbstwertgefühl und für einen beschränkten Zugang zu den ökonomischen und sozialen Mitteln heterosexueller Männermacht. Auf jeden Fall spiegeln sie den tiefsitzenden Sexismus, der das Gefüge der amerikanischen Kultur durchdringt. Nicht mehr hören kann ich freilich das Repertoire der Erwiderungen, mit denen die Rapper die Anklage des Sexismus zurückweisen: «Es gibt nun mal ‹Huren› und ‹ausnützerische Mädchen›, nur von ihnen handelt dieser Rap.» Oder: «Das ist nur eine Geschichte, ich möchte nichts mit ihr aussagen.» Ebensowenig Nachsicht habe ich mit den Rappern, die über diese Seite des Rap feige schweigen, obwohl sie sich, wie ich weiß, darüber ärgern.

Auf der anderen Seite bin ich angesichts der selektiven Wahrnehmung des Themas Sexismus im öffentlichen Dialog sehr skeptisch in bezug auf den Zeitpunkt und den gesteuerten Einsatz der Wut über den Sexismus im Rap. Manche Erwiderung auf den Sexismus in der Rap-Musik klingt so, als sei die Gesellschaft erst von den Rappern mit Sexismus infiziert worden. Diese Reaktionen auf den Sexismus des Rap leugnen die Existenz eines breiten Spektrums akzeptierter sexistischer Verhaltensweisen, die männlichen Jugendlichen dazu dienen, sich in ihre Geschlechterrolle hineinzufinden, und sie an die gesellschaftlichen Normen für erwachsene Männer heranzuführen, die genauso sexistisch sind, wenn sie auch normalerweise weniger krass ausgedrückt werden. Nur wenige der bekannteren Untersuchungen des Sexismus im Rap wollen sich mit der Tatsache auseinandersetzen, dass die sexuelle und institutionelle Beherrschung und Ausnutzung von Frauen ein wesentlicher Bestandteil der Entwicklung einer heterosexuellen Männeridentiät ist. Um die Aufmerksamkeit

attention away from the more entrenched problem of redefining the terms of heterosexual masculinity. (...)

Rap's ability to draw the attention of the nation, to attract crowds around the world in places where English is rarely spoken are fascinating elements of rap's social power. Unfortunately, some of this power is linked to U.S.-based cultural imperialism, in that rappers benefit from the disproportionate exposure of U.S. artists around the world facilitated by music industry marketing muscle. However, rap also draws international audiences because it is a powerful conglomeration of voices from the margins of American society speaking about the terms of that position. Rap music, like many powerful black cultural forms before it, resonates for people from vast and diverse backgrounds. The cries of pain, anger, sexual desire, and pleasure that rappers articulate speak to hip hop's vast fan base for different reasons. For some, rappers offer symbolic prowess, a sense of black energy and creativity in the face of omnipresent oppressive forces; others listen to rap with an ear toward the hidden voices of the oppressed, hoping to understand America's large, angry, and "unintelligible" population. Some listen to the music's powerful and life-affirming rhythms, its phat beats and growling bass lines, revelling in its energy, seeking strength from its cathartic and electric presence. Rap's global industry-orchestrated (but not industry-created) presence illustrates the power of the language of rap and the salience of the stories of oppression and creative resistance its music

von dem wichtigeren Problem einer neuen Definition männlicher Heterosexualität abzulenken, wird manchmal die Musik zum Sündenbock gemacht. (...)

Dass es dem Rap gelingt, die Aufmerksamkeit der ganzen Nation auf sich zu ziehen und rund um die Welt – auch wo kaum Englisch gesprochen wird – große Massen anzusprechen, zeigt eindrucksvoll die soziale Macht des Rap. Leider hängt diese Macht zum Teil mit dem US-amerikanischen Kulturimperialismus zusammen, denn auch die Rapper profitieren von der weltweit überproportionalen Bekanntheit amerikanischer Künstler, die der wirtschaftlichen Stärke der Musikindustrie zu verdanken ist. Der Rap zieht jedoch sein internationales Publikum auch dadurch an, dass er ein explosives Gemisch von Stimmen amerikanischer Randgruppen ist, die über ihre Daseinsbedingungen sprechen. Wie so viele einflussreiche schwarze Kulturformen vorher findet auch der Rap bei Menschen unterschiedlichster Herkunft ein Echo. Die von den Rappern artikulierten Schreie des Schmerzes, der Wut, des sexuellen Verlangens und der Freude sprechen die riesige Fangemeinde des Hip Hop aus den verschiedensten Gründen an. Für manche bieten die Rapper symbolische Potenz an, ein Gefühl für schwarze Energie und Kreativität, Auge in Auge mit den allgegenwärtigen Kräften der Unterdrückung. In der Hoffnung, Amerikas große, wütende und «unbegreifliche» Bevölkerung verstehen zu können, hören andere aus dem Rap die verborgenen Stimmen der Unterdrückten heraus. Manchen gefallen die kräftigen lebenbejahenden Rhythmen der Musik, ihr fettes Pochen und die wummernden Bässe, sie schwelgen in ihrer Lebendigkeit und schöpfen Kraft aus ihrer mitreißenden Frische. Die von der Industrie organisierte (nicht geschaffene) weltweite Präsenz des Rap erweist seine Sprachgewalt und die Wichtigkeit der Geschichten von Unterdrückung und schöpferischem Widerstand, von denen seine Musik und seine Texte

and lyrics tell. The drawing power of rap is precisely its musical and narrative commitment to black youth and cultural resistance, and nothing in rap's commercial position and cross-cultural appeal contradicts this fact.

sprechen. Die Anziehungskraft des Rap besteht gerade in seiner musikalischen und inhaltlichen Bindung an die schwarze Jugend und im kulturellen Widerstand; weder sein kommerzieller Erfolg noch seine kulturübergreifende Wirkung stehen dazu im Widerspruch.

Copyright-Nachweise

© 1997 Robin D. G. Kelley
By permission of the author

Albert J. Raboteau
From: A Fire in the Bones
© 1995 by Albert J Raboteau
Reprinted by permission of Beacon Press, Boston

Tricia Rose
From: Black Noise: Rap Music and Black Culture in Contemporary America
© 1994 by Tricia Rose
By permission of The Wesleyan University Press, Middletown CT

William L. Van Deburg
From: A New Day in Babylon
© 1992 by William L. Van Deburg
By permission of The University of Chicago Press, Chicago IL

Bio-bibliografische Angaben

Angela Davis (geboren 1944 in Birmingham, Alabama) ist durch die internationale Kampagne gegen den Prozess, der ihr 1970 aufgrund ihrer politischen Aktivitäten gemacht wurde, zu Weltruhm gelangt. Nach ihrem Freispruch 1972 konnte sie ihre Lehrtätigkeit wieder aufnehmen. Derzeit ist sie Professorin für Bewusstseinsgeschichte an der University of California in Santa Cruz. Zu ihren wichtigsten Publikationen gehören «Angela Davis: An Autobiography» (1974), «Women Race Class» (1981), die beide auch auf deutsch erhältlich sind: «Mein Herz wollte Freiheit» (1975) und «Rassismus und Sexismus» (1982).

Eugene Genovese (geboren 1930 in Brooklyn, NY) war bis 1996, dem Jahr seiner Konversion zum Katholizismus, einer der wichtigsten marxistischen Historiker der Sklaverei in den USA. Seinen Ruhm verdankt er vor allem dem Bestseller «Roll Jordan Roll», erschienen 1974, dem unser Text entnommen ist. Seit seiner Konversion macht er mit konservativen Thesen auf sich aufmerksam.

Grace Elizabeth Hale (gegoren 1964 in Atlanta, Gerogia) ist Professorin für die Geschichte der Südstaaten im zwanzigsten Jahrhundert. Unser Text entstammt ihrer Dissertation, die unter dem Titel «Making Whiteness: The Culture of Segregation in the South, 1890–1940» 1998 publiziert wurde. Sie arbeitet derzeit an einer Geschichte der Bürgerrechtsbewegung der USA.

Vincent Harding (geboren 1931 in New York) ist Professor für Religion und Sozialen Wandel an einem Methodistenseminar in Denver, Colorado. Sein Hauptinteresse gilt der Rolle der Religion in sozialen Bewegungen. Neben seinem Buch über die schwarzen Befreiungsbewegungen «There is

a River» von 1981, aus dem unser Text stammt, muss hier auch seine Biographie «Martin Luther King: The Inconvenient Hero» 1996 genannt werden.

Nathan Irvin Huggins (geboren 1927 in Chicago, gestorben 1989 in Cambridge, Massachusetts) war Inhaber des W.E.B.- Du-Bois-Lehrstuhls in Harvard. Er besuchte unter anderem die Freie Universität Berlin als Gastprofessor. Zu seinen wichtigsten Publikationen zählen «Harlem Renaissance» von 1971, «Black Odyssey: The Afro-American Ordeal in Slavery» von 1977 und «Slave and Citizen: The Life of Frederick Douglass» von 1980.

Robin Kelley ist Professor für Geschichte und Afrikanistik an der New York University. Seine Hauptforschungsgebiete innerhalb der afro-amerikanischen Geschichte sind Jazz, Populärkultur und radikale politische Gruppierungen. Kelley's Geschichte der Kommunisten in Alabama «Hammer and Hoe» von 1991 wurde mehrfach ausgezeichnet. Derzeit arbeitet Kelley an einer Biographie des Pianisten und Komponisten Thelonius Monk.

Albert Jordy Raboteau. Sein Hauptforschungsgebiet ist die amerikanische Religionsgeschichte, insbesondere der Katholiken und Afro-Amerikaner. Als wichtige Publikationen sind «Slave Religion: The 'Invisible Institution' in the Antebellum South» von 1978, «A Fire in the Bones: Reflections on African-American Religious History» von 1995 zu nennen. Nach Professuren in Berkeley, Harvard und Yale hat Raboteau seit 1982 eine Professur in Princeton.

Tricia Rose ist Professorin für Amerikanistik an der University of California in Santa Cruz. Unser Text ist ihrem preisgekrönten Buch «Black Noise: Rap Music and Black Culture in Contemporary America» (1994) entnommen.

Jüngst erschien ihr « Longing to Tell: Black Women Talk about Sexuality and Intimacy », einer Oral History Studie über die Sexualität schwarzer Frauen.

William Van Deburg (geboren 1948 in Kalamazoo, Michigan). Sein Hauptforschungsgebiet ist die Rolle der Schwarzen in der populären Kultur der USA. Unser Text entstammt seinem Buch « A New Day in Babylon, The Black Power Movement and American Culture 1965–1975 » (1992), einer Studie der allumfassenden Wirkung der Black-Power-Bewegung auf den Sport, die Politik, das Arbeitsleben und die Kultur der USA der sechziger und siebziger Jahre. Van Deburg ist Herausgeber von « Modern Black Nationalism: From Marcus Garvey to Louis Farrakhan » (1997), einer Sammlung von Texten der der einflussreichsten Theoretiker des schwarzen Nationalismus seit der Befreiung bis heute.

Sophie Bade (geboren 1971 in München) studierte Volkswirtschaftslehre und Philosophie in Saarbrücken, Berlin, Ann Arbor (Michigan) und Paris. Sie promoviert über politische Ökonomie an der New York University.

Gern schicken wir Ihnen ein Verzeichnis aller Bände der Reihe dtv zweisprachig zu. Deutscher Taschenbuch Verlag, Friedrichstraße 1 a, D-80801 München
www.dtv.de zweisprachig@dtv.de